汉英对照

简明汉语语法学习手册
Chinese Grammar without Tears

主编　朱晓星

编者　王　晔　贾　铃

　　　刘亚林　张　燕

北京大学出版社

·北　京·

图书在版编目(CIP)数据

简明汉语语法学习手册/ 朱晓星等编著.—北京:北京大学出版社,2002.7

(汉语学习手边册丛书)

ISBN 978-7-301-05749-0

Ⅰ.简… Ⅱ.朱… Ⅲ.汉语-语法-手册-汉、英 Ⅳ.H14—62

中国版本图书馆 CIP 数据核字(2002)第 043878 号

书　　　名：简明汉语语法学习手册
著作责任者：朱晓星 等
责 任 编 辑：胡小园
标 准 书 号：ISBN 978-7-301-05749-0/H • 0771
出 版 发 行：北京大学出版社
地　　　址：北京市海淀区成府路 205 号　 100871
网　　　址：http://www.pup.cn
电　　　话：邮购部 62752015　发行部 62750672　编辑部 62752028
　　　　　　 出版部 62754962
电 子 邮 箱：zpup@pup.pku.edu.cn
印 刷 者：北京大学印刷厂
经 销 者：新华书店
　　　　　　 850 毫米×1168 毫米　32 开本　10.375 印张　260 千字
　　　　　　 2002 年 7 月第 1 版　2007 年 6 月第 4 次印刷
定　　　价：22.00 元

编者的话

美国大使馆语言培训官麦恒溢先生(Thomas E. Madden)对本书的翻译工作给予了大力协助。麦恒溢先生丰富的教学经验,对中英文两种语言的透彻把握,保证了本书的翻译质量,相信一定会使本书的读者受益匪浅。他严谨的治学态度和对本书高度负责的精神,使编者们深受感动;另外,他还对本书部分章节的编写提出了宝贵的意见。在此,谨向麦恒溢先生表示衷心的感谢。并向所有为本书的编写工作提供过帮助的同事表示感谢。

Mr. Thomas E. Madden, Language Training Officer of the American Embassy, Beijing, helped with the English translation of the text of this book. We offer our sincere thanks to him for his invaluable assistance, including his suggestions on some of the grammatical explanations. In addition, we thank all our colleagues who helped in the compilation of this book.

前　言

1.《简明汉语语法学习手册》是为具有初中级汉语水平的外国学生编写的语法书,它可以作为简明工具书,备学生查用,也可以作为教材供学生学习使用。

2.本书没有按传统的语法系统来安排语法项目,而是通过例句和简单的公式,来解释学生在学习中遇到的语法难点。

3.从汉外对比的角度出发,书中某些章节里提出了注意事项或极容易出现的偏误,以使学生更容易掌握汉语语法的特点和基本规律。

4.本书讲解部分配有英文译文,例句配有汉语拼音。

Preface

Chinese Grammar Without Tears is designed for foreign students at the elementary and intermediate levels. It may serve either as a reference book to be consulted as required, or as a textbook to be studied.

The book attempts, through examples and patterns, to explain structural features with which students typically experience difficulty in the course of their study of Chinese. Points of grammar are, therefore, addressed in an order different from that of traditional grammars.

To help students understand the typical features and basic rules of Chinese, some chapters also contain notes on important points and common pitfalls; here, Chinese is contrasted with English and other languages.

The grammatical explanations are given in Chinese with English translation, and example sentences are given in Chinese characters with Hanyu pinyin transcription.

目　录

一　提问的方法

Chapter 1　WAYS OF ASKING QUESTIONS

汉语中的问句有两种,一种是需要回答的(疑问句);一种是不需要回答的(反问句)。

There are two kinds of questions in Chinese. "Interrogative sentences" ask the listener for an answer. "Rhetorical questions" do not ask the listener to respond.

(一)需要回答的一共有九种形式
There are nine kinds of questions which need an answer.

> ### 1. "吗"
> ### Questions with "ma"

(1) 提问时,只在一般句子后加"吗",不改变句子的顺序。

This kind of question is formed by adding "ma" at the end of a declarative sentence. The word order is the same as that of the declarative sentence.

1. 我是北京人。

Wǒ shì Běijīng rén.

你是北京人吗?

Nǐ shì Běijīng rén ma?

是/不是。

Shì. /Bù shì.

2．我会说汉语。

    Wǒ huì shuō Hànyǔ.

你会说汉语吗？

    Nǐ huì shuō Hànyǔ ma?

会/不会。

    Huì. /Bú huì.

3．小王今天没来。

    Xiǎo Wáng jīntiān méi lái.

小王今天没来吗？

    Xiǎo Wáng jīntiān méi lái ma?

对，他今天没来。/不，他来了。

    Duì, tā jīntiān méi lái. /Bù, tā lái le.

（2）作肯定回答时，重复主要动词，有时也可用"是（的）、对、嗯"等回答。如果有助动词，重复助动词；如果动词带"了、着、过"或补语，回答时也要带上。

The affirmative answer of the question is to repeat the main verb. Sometimes, "shì, duì" or "eng" can be used to answer such questions. If there is an auxiliary word in the question, the auxiliary verb should be repeated. If "le, zhe, guo" or some other complement follows the verb, it should be included in the answer.

1．他给我打电话了。

    Tā gěi wǒ dǎ diànhuà le.

他给你打电话了吗？

    Tā gěi nǐ dǎ diànhuà le ma?

打了。/没有打。

    Dǎ le. /Méiyǒu dǎ.

2．这本书我明天看得完。

Zhè běn shū wǒ míngtiān kàn de wán.

这本书你明天看得完吗？

Zhè běn shū nǐ míngtiān kàn de wán ma?

看得完。/看不完。

Kàn de wán. /Kàn bu wán.

注意：这种问句的语调一般是升调。

Note：This type of question generally has a rising intonation.

> ## 2．"吧"问句
> ## Questions with "ba"

用"句子＋吧＋？"的句子表示提问的人对某一件事情或某种情况有了估计，但是不完全肯定，带有推测的口气。

This kind of sentence is used when the speaker has a surmise about a thing or a condition, but is not quite sure, so the sentence has a tone of conjecture.

1．这是我女儿。

Zhè shì wǒ nǚ'ér.

这是你女儿吧？

Zhè shì nǐ nǚ'ér ba?

是（的）/对。

Shì（de）/duì.

2．他今天不会来了。

Tā jīntiān bù huì lái le.

他今天不会来了吧？

Tā jīntiān bù huì lái le ba?

对，不会来了。

Duì, bù huì lái le.

3．我吃过饭了。

Wǒ chīguo fàn le.

你吃过饭了吧?

Nǐ chīguo fàn le ba?

吃过了。

Chīguò le.

注意:基本句式、回答的方法、语调都同"句子＋吗＋?"

Note: The structure of sentence, the way to answer it and the intonation are the same as in questions with "ma".

> **3. 句子 + ?**
>
> **Sentence + ?**

(1) 这种问句的语调必须是上升的。

This type of sentence should be uttered with a rising intonation.

(2) 表示推测、估计等,提问人常希望得到对方的证实。

This type of question expresses a conjecture, estimation, etc., for which the questioner hopes to get confirmation from the listener.

1. 他最近身体不太好。

　　Tā zuìjìn shēntǐ bù tài hǎo.

　　他最近身体不太好?

　　Tā zuìjìn shēntǐ bù tài hǎo?

　　是(的)/对。

　　Shì(de)/Duì.

2. 我等汽车。

　　Wǒ děng qìchē.

　　你等汽车?

　　Nǐ děng qìchē?

是(的)/对。

Shì(de)/Duì.

3. 他已经回国了。

　　Tā yǐjīog huíguó le.

　　他已经回国了?

　　Tā yǐjīng huíguó le?

　　是(的)/对。

　　Shì(de)/Duì,

4. 我学习中文。

　　Wǒ xuéxí Zhōngwén.

　　你学习中文?

　　Nǐ xuéxí Zhōngwén?

　　是(的)/对。

　　Shì(de)/Duì.

注意:这种问句的使用不如"句子＋吗＋?"和"句子＋吧＋?"广泛、自由。

Note: Such sentences are not used as widely and freely as questions with "ma" and questions with "ba".

---

4. 特殊疑问句

Questions with an interrogative pronoun

常用的疑问代词有:

These are the most frequently used interrogative pronouns:

疑问项目 QUERIED ITEMS	疑问代词 INTERROGATIVE PRONOUNS
问人、事物 people，things	谁、什么、哪 shuí、shénme、nǎ
问方式、状态 method，state	怎么、怎(么)样 zěnme、zěn(me)yàng
问原因 reason	为什么、怎么 wèishénme、zěnme
问时间、地点 time，place	什么时候、几点 shénme shíhou、jǐdiǎn 多长时间、哪儿(哪里) duōcháng shíjiān、nǎr(nǎli)
问数量 number	多少、几 duōshao、jǐ
问程度 degree	多+形容词 "duō" + adjective

1. 我找小王。

   Wǒ zhǎo Xiǎo Wáng.

   你找谁？（问人）

   Nǐ zhǎo shuí?（inquiring about person）

   （我找）小王。

   （Wǒ zhǎo）Xiǎo Wáng.

2. 我喜欢吃饺子。

   Wǒ xǐhuan chī jiǎozi.

   你喜欢吃什么？（问事物）

   Nǐ xǐhuan chī shénme?（inquiring about a thing）

   （我喜欢吃）饺子。

(Wǒ xǐhuan) chī jiǎozi.

3. 我要这个面包。

   Wǒ yào zhè ge miànbāo.

   你要哪个面包？(问事物)

   Nǐ yào nǎ ge miànbāo? (inquiring about a thing)

   (我要)这个。

   (Wǒ yào) zhè ge.

4. 昨天我去友谊商店了。

   Zuótiān wǒ qù Yǒuyì shāngdiàn le.

   昨天你去哪儿了？(问地点)

   Zuótiān nǐ qù nǎr le? (inquiring about a place)

   我去友谊商店了。

   Wǒ qù Yǒuyì shāngdiàn le.

5. 他明年回国。

   Tā míngnián huí guó.

   他什么时候回国？(问时间)

   Tā shénme shíhou huí guó? (inquiring about the time of an event)

   明年。

   Míngnián.

6. 现在十二点了。

   Xiànzài shí'èr diǎn le.

   现在几点了？(问时间)

   Xiànzài jǐ diǎn le? (inquiring about the time)

   十二点了。

   Shí'èr diǎn le.

7. 我买两个面包。

   Wǒ mǎi liǎng ge miànbāo.

你买几个面包?(问数量)

Nǐ mǎi jǐ ge miànbāo?(inquiring about a number)

两个。

Liǎng ge.

8. 房间里有二十个人。

Fángjiān li yǒu èrshí ge rén.

房间里有多少(个)人?(问数量)

Fángjiān li yǒu duōshao（ge）rén?（inquiring about a number）

二十个人。

Èrshí ge rén.

9. 这些东西一共一百块。

Zhèxiē dōngxi yīgòng yībǎi kuài.

这些东西一共多少钱?(问数量)

Zhèxiē dōngxī yīgòng duōshao qián?（inquiring about a number）

一共一百块。

Yīgòng yībǎi kuài.

10. 小王不能参加这次招待会了。

Xiǎo Wáng bù néng cānjiā zhè cì zhāodàihuì le.

小王为什么不能参加这次招待会了?(问原因)

Xiǎo Wáng wèishénme bù néng cānjiā zhè cì zhāodàihuì le?

(inquiring about a reason)

因为他生病了。

Yīnwéi tā shēngbìng le.

11. 他不高兴了。

Tā bù gāoxìng le.

他怎么不高兴了?(问原因)

Tā zěnme bù gāoxìng le? (inquiring about a reason)

因为他丢钱了。

Yīnwéi tā diū qián le.

12. 我坐车去学校。

Wǒ zuò chē qù xuéxiào.

你怎么去学校? (问方式)

Nǐ zěnme qù xuéxiào? (inquiring about a means)

我坐车去。

Wǒ zuò chē qu.

13. 他身体很好。

Tā shēntǐ hěn hǎo.

他身体怎么样? (问状态)

Tā shēntǐ zěnmeyàng? (inquiring about a state)

很好。

Hěn hǎo.

14. 他有一米八高。

Tā yǒu yī mǐ bā gāo.

他有多高? (问程度)

Tā yǒu duō gāo? (inquiring about a degree)

一米八。

Yī mǐ bā.

注意:Notes:

(1) 对句子的哪一部分提问,就把疑问词放在哪儿。

The position of the interrogative pronoun in the question is the same as that of the corresponding element in the answer.

(2) 以上句尾都可加"呢",以缓和语气。一般不加"吗"。

"Ne" can be used at the end of a sentence with an interrogative pronoun to make the tone more tactful. But "ma" usually cannot be used in this kind of question.

(3)"几"和"多少"

"Jǐ" and "duōshao"

"几"一般用来询问十以下的数目,后边通常要有量词。

"Jǐ" is usually used to ask for a number below ten. Normally there is be a measure word after "jǐ".

"多少"可用来询问任何数目,后边不一定要有量词。

"Duōshao" can be used to ask for any number and does not have to take a measure word.

> **5.** 代词、名词、名词性短语或小句 + 呢 + ?
>
> **Pronoun, noun, noun phrase or clause + "ne" + ?**

(1)"名词(或名词性短语)+呢+?"作始发句,用来询问地点

"noun(noun phrase) + ne + ?" used as the opening sentence in a conversation asks where the person or thing concerned is.

1. 小王呢?

  Xiǎo Wáng ne?

  他去商店了。

  Tā qù shāngdiàn le.

2. 我的书呢?

  Wǒ de shū ne?

  不知道。

  Bù zhīdào.

(2)如果有上文,则省略与前一句相同的谓语。

If there is previous context, then "ne" functions to take the place of the predicate of the previous sentence.

1. 我想回家了,你呢?(我想回家了,你想回家吗?)

  Wǒ xiǎng huíjiā le, nǐ ne?(Wó xiǎng huíjiā le, nǐ xiǎng huíjiā ma?)

我也想回家了。

Wǒ yě xiǎng huíjiā le.

2. 你上午值班,下午呢?(下午你值班吗?)

Nǐ shàngwǔ zhíbān, xiàwǔ ne? (xiàwǔ nǐ zhíbān ma?)

下午不值班。

Xiàwǔ bù zhíbān.

> **6.** (动词或形容词的)肯定形式 + (动词或形容词的)否定
>   形式 + 其他 + ?
>   **Affirmative (verb or adjective) + negative (verb or
>   adjective) + other words + ?**

(1)回答时,从"肯定形式"或"否定形式"中选择一项

Either the affirmative or the negative answer is possible.

1. 我的中文书不多。

Wǒ de Zhōngwén shū bù duō.

你的中文书多不多?

Nǐ de Zhōngwén shū duō bu duō?

多/不多。

Duō/Bù duō.

2. 我们明天去颐和园。

Wǒmen míngtiān qù Yíhéyuán.

你们明天去不去颐和园?

Nǐmen míngtiān qù bu qù Yíhéyuán?

去/不去。

Qù/Bù qù.

3. 他母亲不工作。

Tā mǔqin bù gōngzuò.

他母亲工作不工作？

Tā mǔqin gōngzuò bu gōngzuò?

工作／不工作。

Gōngzuò／Bù gōngzuò.

4. 我有一本汉语字典。

Wǒ yǒu yī běn Hànyǔ zìdiǎn.

你有没有汉语字典？

Nǐ yǒu méiyǒu Hànyǔ zìdiǎn?

有／没有。

Yǒu／Méiyǒu.

（2）当问句结构为"主语＋动词短语＋没有＋动词短语＋？"时，且两个问句的动词短语相同时，后一个动词短语可以省略。

When the structure is "subject ＋ verbal phrase ＋'méiyǒu' ＋ verbal phrase ＋?", and the two verbal phrase are same, the second verbal phrase can be omitted.

昨天我看了京剧。

Zuótiān wǒ kànle Jīngjù.

昨天你看没看京剧？

Zuótiān nǐ kàn mei kàn Jīngjù?

昨天你看了京剧没有？

Zuótiān nǐ kànle Jīngjù méiyǒu?

看了／没（有）看。

Kànle／Méi(yǒu) kàn.

注意：谓语前面一般不能带表示程度的副词，如"很"，"非常"等。比如，不能说"你很累不累"。

Note: Usually the predicate in such a question cannot be modified by an adverb of degree such as "hěn", or "fēicháng". For example, one cannot say "Nǐ hěn lèi bu lèi".

> 7. ……(是)……还是…… + ?
>
> ……("shì")……"háishi"…… + ?

（1）回答时，从两个选择中选择一项。

In these sentences, the answer is to be chosen from the alternatives.

1. 是你去，还是我去？

　　Shì nǐ qù, háishi wǒ qù?

　　我去。

　　Wǒ qù.

2. 星期六晚上去看电影还是去跳舞？

　　Xīngqīliù wǎnshang qù kàn diànyǐng háishi qù tiàowǔ?

　　去看电影。

　　Qù kàn diànyǐng.

3. 你喝茶还是喝咖啡？

　　Nǐ hē chá háishi hē kāfēi?

　　喝茶。

　　Hē chá.

（2）用"还是"连接动词"是"时，为使句子简洁，只用一个"是"。

In a "háishi" choice question, when the verb of the second alternative is "shì" (which would result in the sequence "háishi shì"), the two "shì" are normally telescoped into one.

你是中国人还是日本人？

Nǐ shì Zhōngguó rén háishi Rìběn rén?

我是中国人。

Wǒ shì Zhōngguó rén.

13

> **8.** 是不是…… + ？
>
> "Shì bu shì"…… + ？

（1）"是不是"是对其后的部分提问。

"Shì bu shì" is used to place the focus of interrogation on the following element.

1．是不是老王回国了？（对"老王"或对"老王回国了"提问）

Shì bu shì Lǎo Wáng huí guó le?

（Asks either the question "Was it Lao Wang who went back to his country?" or "Is it true that Lao Wang went back to his country?"）

2．老王是不是回国了？（对"回国了"提问）

Lǎo Wáng shì bu shì huí guó le?

（Focuses the question on "huí guó le". ）

（2）"是不是"放在句尾时，是对整个句子提问。

"Shì bu shì" placed at the end of a sentence asks about the whole preceding clause.

3．老王回国了，是不是？

Lǎo Wáng huí guó le, shì bu shì?

> **9.** 句子 + 好吗？ /好不好？ /行吗？ /行不行？ /可以吗？
>
> /可以不可以？……
>
> **Sentence** + "hǎo ma"? /"hǎo bu hǎo"? / "xíng ma"?
>
> /"xíng bu xíng"? /"kěyǐ ma"? /"kěyǐ bu kěyǐ"? ……

（1）这种问句是说话人用来征求对方的意见，表示商量和请求。

This question form is used to make a request or to seek the

listener's opinion, expressing the speaker's willingness to consider the listener's wishes.

1. 你再等我五分钟, 好吗? /好不好?

Nǐ zài děng wǒ wǔ fēnzhōng, hǎo ma? /hǎo bu hǎo?

好的。/不行。

Hǎode. /Bù xíng.

2. 我想喝杯茶, 可以吗? /可以不可以?

Wǒ xiǎng hē bēi chá, kěyǐ ma? /kěyǐ bu kěyǐ?

可以。

Kěyǐ.

3. 让我休息一下儿, 行吗? /行不行?

Ràng wǒ xiūxi yīxiàr, xíng ma? /xíng bu xíng?

行。/不行。

Xíng. /Bù xíng.

(二)不需要回答的问句(即反问句)

Questions which do not ask the listener to respond(rhetorical questions)

反问句是一种表示强调的句子。陈述句和各种疑问句都可以构成反问句。它的特点是用肯定的形式表示否定的意义;用否定的形式表示肯定的意义,以加强语气。句尾可以用问号,也可以用感叹号。这种句子不需要回答。以下是几种常见的句式。

The rhetorical question is used for emphasis. Any declarative sentence or question can be used to form a rhetorical question. The affirmative form of the rhetorical question expresses the negative meaning, while the negative form expresses the affirmative meaning. A question mark or an exclamation mark should be used at the end of the sentence. The listener is not being asked to respond to this kind of question. The following are typical rhetorical question patterns:

---
1. 不(是)……吗? /没(有)……吗?

"Bù(shì)……ma?"/"méi(yǒu)……ma?"

用以进一步肯定已知情况。

To stress certainty.

1. 你不是病了吗? 你应该在家多休息几天。

　　Nǐ bùshì bìng le ma? Nǐ yīnggāi zài jiā duō xiūxi jǐ tiān.

　　(你生病了,应该在家多休息几天。)

　　(Nǐ shēngbìng le, yīnggāi zài jiā duō xiūxi jǐ tiān.)

2. 他不是没有去过上海吗? 这次让他去吧。

　　Tā bù shì méiyǒu qùguo Shànghǎi ma? Zhè cì ràng tā qù ba.

　　(他没有去过上海,这次让他去吧。)

　　(Tā méiyǒu qùguo Shànghǎi, zhè cì ràng tā qù ba.)

3. 你没发现他今天有点儿不高兴吗?

　　Nǐ méi fāxiàn tā jīntiān yǒudiǎnr bù gāoxìng ma?

　　(你应该发现他今天有点儿不高兴。)

　　(Nǐ yīnggāi fāxiàn tā jīntiān yǒudiǎnr bù gāoxìng.)

4. 他没告诉你吗? 明天他不来了。

　　Tā méi gàosu nǐ ma? Míngtiān tā bù lái le.

　　(你应该知道他明天不能来了。)

　　(Nǐ yīnggāi zhīdào tā míngtiān bù néng lái le.)

---
2. 还……(吗)?

Hái……(ma)?

强调"不应该"

16

To emphasize "should not".

1. 快考试了,你还玩儿?

   Kuài kǎoshì le, nǐ hái wánr?

   (你不应该玩儿了。)

   (Nǐ bù yīnggāi wánr le.)

2. 你已经休息半天了,你还累!

   Nǐ yǐjīng xiūxi bàntiān le, nǐ hái lèi!

   (你不应该累了。)

   (Nǐ bù yīnggāi lèi le.)

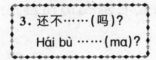

3. 还不……(吗)?

Hái bù ……(ma)?

强调"应该"

To emphasize "should ".

1. 这么晚了,你还不回家?

   Zhème wǎn le, nǐ hái bù huí jiā?

   (你应该回家。)

   (Nǐ yīnggāi huí jiā.)

2. 你的考试成绩这么好,你还不高兴吗?

   Nǐ de kǎoshì chéngjì zhème hǎo, nǐ hái bù gāoxìng ma?

   (你应该高兴。)

   (Nǐ yīnggāi gāoxìng.)

（三）"哪儿(里)"、"怎么" 用于反问句,不表示提问

"Nǎr（nǎli)"、"zěnme" are used in a rhetorical question. "Nǎr" is used to indicate denial of the listener's supposition or statement, "zěnme" to indicate incredulity or puzzlement.

1. 这本小说哪儿难啊!一年级的学生都能看懂。

Zhè běn xiǎoshuō nǎr nán a! Yī niánjí de xuésheng dōu néng kàn dǒng.

（这本小说不难。）

（Zhè běn xiǎoshuō bù nán.）

2. 我哪里会说英语啊！

Wǒ nǎli huì shuō Yīngyǔ a!

（我不会说英语。）

（Wǒ bù huì shuō Yīngyù.）

3. 我刚才还看见他了，他怎么会不在呢？

Wǒ gāngcái hái kànjiàn tā le, tā zěnme huì bù zài ne?

（他不会不在。）

（Tā bù huì bù zài.）

（四）"什么"

"什么"在反问句中有两种情况。

"Shénme" has two forms of usage in rhetorical questions.

> **1.** 形容词（或可以加"很"的动词）＋什么
>
> **Adjective (or verb which can take "hěn" before) + "shénme"**

表示对某种判断的否定。带有不同意或反驳的语气。

Indicates a negation to a certain judgement. It has the tone of disagreement or retort.

1. 这个词难什么？一点儿也不难。

Zhè ge cí nán shénme? Yīdiǎnr yě bù nán.

（这个词不难。）

（Zhè ge cí bù nán.）

2．那件毛衣很好看。

　　Nà jiàn máoyī hěn hǎokàn.

　　那件毛衣好看什么？颜色、式样都不好。

　　Nà jiàn máoyī hǎokàn shénme? Yánsè、shìyàng dōu bù hǎo.

3．你一定很喜欢这部电影。

　　Nǐ yídìng hěn xǐhuan zhè bù diànyǐng.

　　喜欢什么？一点儿也没意思。

　　Xǐhuan shénme? Yīdiǎnr yě méi yìsi.

2．动词 + "什么"

Verb + "shénme"

表示"没有必要"，"不应该"或"不能实现"。带有不满意或不赞同的语气。

Indicates "not necessary", "should not" or "cannot be done". It has a tone of dissatisfaction or disagreement.

1．这件衬衫那么干净，还洗什么？

　　Zhè jiàn chènshān nàme gānjìng, hái xǐ shénme?

　　（这件衬衫没有必要洗。）

　　(Zhè jiàn chènshān méiyǒu bìyào xǐ.)

2．你笑什么？我又没说错。

　　Nǐ xiào shénme? Wǒ yòu méi shuō cuò.

　　（你不应该笑。）

　　(Nǐ bù yīnggāi xiào.)

3．天已经黑了，还去什么公园？

　　Tiān yǐjīng hēi le, hái qù shénme gōngyuán?

　　（不能去公园了。）

　　(Bù néng qù gōngyuán le.)

（五）其他疑问形式加反问语气。这种类型的反问句要根据具体的语境和语气来判断。

Other question forms with rhetorical tone. The meaning of the sentence depends on the context and the tone.

1. 这种东西是能吃还是能穿？你为什么花那么多钱买它？

Zhè zhǒng dōngxi shì néng chī háishi néng chuān? Nǐ wèishénme huā nàme duō qián mǎi tā?

2. 我只学了两个月汉语，你说我能不能当翻译？

Wǒ zhǐ xuéle liǎng ge yuè Hànyǔ, nǐ shuō wǒ néng bu néng dāng fānyì?

3. 是不是？我就知道他会来的。

Shì bu shì? Wǒ jiù zhīdào tā huì lái de.

疑问代词的活用
Use of Interrogatives as Indefinite Pronouns and Adverbs

A. 疑问代词在句子中有时不表示疑问，而用来表示任指或虚指。如"谁"可以表示任何人；"什么"表示任何一件东西；"哪儿"表示任何地方。句子中常有"都"，"也"。

Interrogative pronouns are sometimes used in a declarative sentence as indefinite pronouns. For example "shuí" indicates anybody; "shénme" indicates anything; "nǎr" indicates anywhere. "Dōu" or "yě" is often used in the sentence.

1. 他什么都爱吃。（他爱吃很多东西。）

Tā shénme dōu ài chī. (Tā ài chī hěn duō dōngxi.)

2. 他哪儿都去过。（他去过很多地方。）

Tā nǎr dōu qùguo. (Tā qùguō hěn duō dìfang.)

3. 谁来也别开门。(任何人来你也别开门。)

Shuí lái yě bié kāi mén. (Rènhé rén lái nǐ yě bié kāi mén.)

4. 你怎么做这件事都可以。(你可以采用任何办法做这件事。)

Nǐ zěnme zuò zhè jiàn shì dōu kěyǐ. (Nǐ kěyǐ cǎiyòng rènhé bànfǎ zuò zhè jiàn shì.)

5. 你什么时候来你都欢迎。(你任何时候来我都欢迎。)

Nǐ shénme shíhou lái wǒ dōu huānyíng. (Nǐ rènhé shíhou lái wǒ dōu huányíng.)

B. 疑问代词在句子中还可以代替不能说明或不需要说明的人或事。

Interrogative pronouns can refer to somebody or something that cannot be stated or that does not need to be stated.

1. 我们去吃点儿什么吧。

Wǒmen qù chī diǎnr shénme ba.

2. 我在哪儿见过他。

Wǒ zài nǎr jiànguo tā.

3. 你如果有什么问题,可以问王老师。

Nǐ rúguǒ yǒu shénme wèntí,kěyǐ wèn Wáng lǎoshī.

4. 他可能是谁的同事。

Tā kěnéng shì shuí de tóngshì.

C. 两个同样的疑问代词在前后两个分句或短语中,(1)可以指同一个人,同一个事物,同一种方式,同一个时间或地点。前者决定后者。两个短语或分句之间有时用"就"连接;(2)也可以指不同的人或事物。

The same interrogative pronoun appearing in two related clauses or phrases (1) can refer to the same person, same thing, method, time, or place. The pronoun in the second clause or phrase must repeat that in the first one. The word "jiù" often appears between the two clauses or phrases; (2) can also refer to different people or things.

1. 哪种便宜就买哪种。(同一种东西)

　　Nǎ zhǒng piányi jiù mǎi nǎ zhǒng. (the same thing)

2. 你想怎么做就怎么做。(同一种方式)

　　Nǐ xiǎng zěnme zuò jiù zěnme zuò. (the same method)

3. 谁想去谁去。(同一个人)。

　　Shuí xiǎng qù shuí qù. (the same person)

4. 我们已经很长时间没见面了,谁也不认识谁了。(不同的人。)

　　Wǒmen yǐjīng hěn cháng shíjiān méi jiànmiàn le, shuí yě bù rènshi shuí le. (different people)

5. 你这篇文章写得太乱了,哪儿连着哪儿我都看不清楚。(不同的地方)

　　Nǐ zhè piān wénzhāng xiě de tài luàn le, nǎr liánzhe nǎr wǒ dōu kàn bu qīngchu. (different places)

练　习
Exercise

一、把下面的陈述句改成用"吗"的疑问句并回答:

Change the following statements into questions with "ma" and answer them:

1. 他是学生。

　　Tā shì xuéshēng.

2. 我有词典。

　　Wǒ yǒu cídiǎn.

3. 她不会喝酒。

　　Tā bù huì hē jiǔ.

4. 黑板上的字我看不清楚。

　　Hēibǎn shàng de zì wǒ kàn bu qīngchù.

5. 昨天他去天坛公园玩儿了。

　　Zuótiān tā qù Tiāntán gōngyuán wánr le.

二、比较下面的句子有什么不同：

Compare the following sentences and state the differences between them：

1. 你下班了吗？

　　Nǐ xiàbān le ma?

　你下班了吧？

　　Nǐ xiàbān le ba?

2. 下雨了吗？

　　Xià yǔ le ma?

　下雨了吧？

　　Xià yǔ le ba?

3. 他今天没来吗？

　　Tā jīntiān méi lái ma?

　他今天没来？

　　Tā jīntiān méi lái?

4. 王老师教你们语法吗？

　　Wáng lǎoshī jiāo nǐmen yǔfǎ ma?

　王老师教你们语法吧？

　　Wáng lǎoshī jiāo nǐmen yǔfǎ ba?

　王老师教你们语法？

　　Wáng lǎoshī jiāo nǐmen yǔfǎ?

三、根据画线部分用疑问代词提问：

Make questions using interrogative pronouns in the underlined parts of the following sentences：

1．那个小女孩叫<u>青青</u>。

    Nà ge xiǎo nǚháir jiào <u>Qīngqīng</u>.

2．他是<u>我的朋友</u>。

    Tā shì <u>wǒ de péngyou</u>.

3．彼得是<u>美国</u>人。

    Bǐdé shì <u>Měiguó</u> rén.

4．这件<u>红</u>衬衫很漂亮。

    Zhè jiàn <u>hóng</u> chènshān hěn piàoliang.

5．我下星期<u>坐飞机</u>去上海。

    Wǒ xià xīngqī <u>zuò fēijī</u> qù Shànghǎi.

6．他<u>因为要离开北京</u>心里很难过。

    Tā <u>yīnwéi yào líkāi Běijīng</u> xīnli hěn nánguò.

7．老张<u>下个月</u>去香港。

    Lǎo Zhāng <u>xià ge yuè</u> qù Xiānggǎng.

8．我们明天<u>七点</u>出发去长城。

    Wǒmen míngtiān <u>qī diǎn</u> chūfā qù Chángchéng.

9．一般来说北京的春天很短，<u>只有一个月左右</u>。

    Yībān lái shuō Běijīng de chūntiān hěn duǎn, <u>zhǐyǒu yī ge yuè zuǒyòu</u>.

10．我到<u>商店</u>去买些水果。

    Wǒ dào <u>shāngdiàn</u> qù mǎi xiē shuǐguǒ.

11．他买了<u>三瓶</u>啤酒。

    Tā mǎi le <u>sān píng</u> píjiǔ.

12．我们公司共有<u>三十</u>名职员。

    Wǒmen gōngsī gòng yǒu <u>sānshí</u> míng zhíyuán.

13. 这个湖有三米深。

   Zhè ge hú yǒu <u>sān mǐ</u> shēn.

四、把下面的句子改成用"呢"的疑问句：

Change the following sentences into questions with "ne"：

1. 我的书在这儿。

   Wǒ de shū zài zhèr.

2. 我已经做完作业了，他还没做完。

   Wǒ yǐjīng zuòwán zuòyè le，tā hái méi zuòwán.

3. 我哥哥已经结婚了，我姐姐还没有。

   Wǒ gēge yǐjīng jiéhūn le，wǒ jiějie hái méiyǒu.

4. 他要是明天不来，我就自己去。

   Tā yàoshi míngtiān bù lái，wǒ jiù zìjǐ qù.

5. 要是他的烧下午还不退，我们就送他去医院。

   Yàoshi tā de shāo xiàwǔ hái bù tuì，wǒmen jiù sòng tā qù
   yīyuàn.

**五、用"……不……""……没……"或"……了（过）没有"造疑
问句：**

   **Make questions using "……bu……"，"……méi……" or "……
le（guo）méiyǒu"：**

   1. 我去过长城。

   Wǒ qù guo Chángchéng.

   2. 他的发音很准确。

   Tā de fāyīn hěn zhǔnquè.

   3. 我有一个姐姐，一个妹妹。

   Wǒ yǒu yī ge jiějie，yī ge mèimèi.

   4. 学过的生词我都记住了。

简明汉语语法学习手册

Xuéguo de shēngcí wǒ dōu jìzhù le.

5. 这次考试他通过了。

Zhè cì kǎoshī tā tōngguò le.

六、用"(是)……还是……"把下列句子改成疑问句：

Change the following sentences into questions with "(shì)……háishi……":

1. 小王是翻译，不是外交官。

Xiǎo Wáng shì fānyì, bù shì wàijiāoguān.

2. 我去西安，不去桂林。

Wǒ qù Xi'ān, bù qù Guìlín.

3. 我喜欢北京的秋天，不喜欢北京的冬天。

Wǒ xǐhuan Běijīng de qiūtiān, bù xǐhuan Běijīng de dōngtiān.

4. 他来找我，我不去找他。

Tā lái zhǎo wǒ, wǒ bù qù zhǎo tā.

5. 李先生是我夫人的朋友，不是我的朋友。

Lǐ xiānsheng shì wǒ fūren de péngyou, bù shì wǒ de péngyou.

七、用"是不是"把下列句子改成疑问句：

Change the following sentences into questions with "shi bu shi":

1. 那儿的东西一定很便宜。

Nàr de dōngxi yīdìng hěn piányi.

2. 我们已经等了快两个小时了，他大概不来了。

Wǒmen yǐjīng děng le kuài liǎng ge xiǎoshí le, tā dàgài bù lái le.

3. 他没来上课，又病了吧。

Tā méi lái shàngkè, yòu bìng le ba.

4. 好几天没看见你了，你去外地了吧。

Hǎo jǐ tiān méi kànjiàn nǐ le, nǐ qù wàidì le ba.

26

5. 这个女孩儿和她长得真像,可能是她的妹妹。

Zhè ge nǔháir hé tā zhǎng de zhēn xiàng, kěnéng shì tā de mèimei.

八、按照要求回答问题,注意"是(的)"、"对"和"不"、"没有"等的用法:

Answer the following questions with "shi(de)"、"dui" or "bu"、"meiyou" according to the instructions:

1. 他不在公司工作吗?(肯定回答)

Tā bù zài gōngsī gōngzuò ma?(affirmative answer)

2. 你不累吗?(否定回答)

Nǐ bù lèi ma?(negative answer)

3. 小李今天没来上班吗?(肯定回答)

Xiǎo Lǐ jīntiān méi lái shàngbān ma?(affirmative answer)

4. 你没去过别的公园吗?(否定回答)

Nǐ méi qùguo bié de gōngyuán ma?(negative answer)

5. 这部电影不好看吗?(肯定回答)

Zhè bù diànyǐng bù hǎokàn ma?(affirmative answer)

九、用疑问代词把下列句子改成反问句:

Change the following sentences into rhetorical questions:

例:我们这里的人都认识他。

Example:Wǒmen zhèli de rén dōu rènshi tā.

我们这里的人谁不认识他?

Wǒmen zhèli de rén shuí bù rènshi tā?

1. 那个房间很大,可以放得下这张床。(不是……吗?)

Nà ge fángjiān hěn dà, kěyǐ fàng de xià zhè zhāng chuáng. (bùshì ……ma?)

2．你应该看得出来他不喜欢你。（没有……吗?）

　　Nǐ yīnggāi kàn de chūlái tā bù xǐhuan nǐ. (méiyǒu……ma?)

3．路这么远，你不应该走着去。（还）

　　Lù zhème yuǎn, nǐ bù yīnggāi zǒu zhe qù. (hái)

4．别着急，汽车马上就来了。（什么）

　　Bié zháojí, qìchē mǎshàng jiù lái le. (shénme)

5．这件衣服一点儿也不脏。（什么）

　　Zhè jiàn yīfu yīdiǎnr yě bù zāng. (shénme)

6．我没看过那本书，不知道它的内容是什么。（怎么）

　　Wǒ méi kànguo nà běn shū, bù zhīdào tā de nèiróng shì

　　shénme. (zenme)

7．我一个人吃不下这么多饺子。（哪里）

　　Wǒ yī gè rén chī bù xià zhème duō jiǎozi. (nǎli)

8．这么难的文章，我看不懂。（怎么）

　　Zhème nán de wénzhāng, wǒ kàn bu dǒng. (zěnme)

十、用疑问代词填空：

Fill in the blanks with interrogative pronouns:

1．你_____时候来都可以。

　　Nǐ _____ shíhou lái dōu kěyǐ.

2．他第一次来中国，_____都想去看看。

　　Tā dì yī cì lái Zhōngguó, _____ dōu xiǎng qù kànkan.

3．我好像在_____地方见过他。

　　Wǒ hǎoxiàng zài _____ dìfāng jiànguo tā.

4．_____想去长城，请到朱老师那儿登记。

　　_____ xiǎng qù Chángchéng, qǐng dào Zhū lǎoshī nàr

　　dēngjì.

5．你们俩_____先做完作业_____就可以去玩儿。

Nǐmen liǎngr _____ xiān zuòwán zuòyè kěyǐ qù wánr.

6. 你们想去_____就去_____。

Nǐmen xiǎng qù _____ jiù qù _____.

二 形容词谓语句和名词谓语句

Chapter 2 SENTENCES WITH AN ADJECTIVE PREDICATE OR A NOMINAL PREDICATE

(一) 形容词谓语句
Sentences with an adjective as predicate

> 主语 + 形容词
> Subject + adjective

(1) 在汉语里,形容词可以作谓语。

An adjective can be used as predicate in Chinese.

1. 这件衣服很漂亮。

   Zhè jiàn yīfu hěn piàoliàng.

2. 这只猫真可爱。

   Zhè zhī māo zhēn kěài.

3. 这杯茶太热,我等一会儿再喝。

   Zhè bēi chá tài rè, wǒ děng yīhuìr zài hē.

4. 我的房间大,他的房间小。

   Wǒ de fángjiān dà, tā de fángjiān xiǎo.

注意:形容词前不加"有",也不加"是"。

Note: The verb "yǒu" and "shì" are not used before the adjective.

30

偏误：Errors：

* 我的房间有大。

Wǒ de fángjiān yǒu dà.

* 这只猫是真可爱。

Zhè zhī māo shì zhēn kěài.

* 我有冷。

Wǒ yǒu lěng.

（2）谓语形容词前常用"很"，这时，"很"表示程度的意义已不明显。如果不加"很"，一般用在有对比意义的句子里。

"Hěn" is often used before the adjective, and in such sentences the sense of "hěn" as an indicator of degree has been lost to a large degree. When an adjective appears in predicate position without "hěn", it generally has a comparative sense.

1．今天很冷。

Jīntiān hěn lěng.

2．办公室很干净。

Bàngōngshì hěn gānjìng.

3．这本书容易，那本书难。

Zhè běn shū róngyi, nà běn shū nán.

4．我们大使馆中年人多，青年人少。

Wǒmén dàshǐguǎn zhōngnián rén duō, qīngnián rén shǎo.

（3）形容词谓语句的否定形式是在形容词前加"不"。

To make the negative form of a sentence with an adjective predicate, "bù" is placed before the adjective.

1．今天我不忙。

Jīntiān wǒ bù máng.

2．这件衣服不贵。

Zhē jiàn yīfu bù guì.

31

3．这个问题不重要。

    Zhègè wèntí bù zhòngyào.

（4）形容词谓语的提问方式有两种。一是在句尾加"吗"，一是用形容词的肯定式和否定式并列来表示。

There are two ways to form questions：（1）Put "ma" at the end of sentence.（2）Use an affirmative – negative choice question.

1．你的汉语书多吗？

    Nǐ de hànyǔ shū duō ma?

2．今天的考试难不难？

    Jīntiān de kǎoshì nán bu nán?

3．他的大衣漂亮不漂亮？

    Tā de dàyī piàoliang bu piàoliang?

注意：有些表示生理状态的动词，如 饿、渴、困、累、醉等在英文和法文中是形容词。由它们构成的句子，如：

Note: Some Chinese verbs indicating physiological states（hunger, thirst, fatigue etc.）equate to adjectives in English and French. For example,

I am hungry.

I am drunk.

I am tired.

在译成汉语时，不能在前边加"有"（或"是"）。上述句子不能译为：

In such sentences, "yǒu" and "shì" cannot be used before the verb: for example, the following sentences are incorrect:

＊我有饿。

    Wǒ yǒu è.

＊我有醉。

Wǒ yǒu zuì.

* 我是累。

Wǒ shì lèi.

（二）名词谓语句

Sentence with a nominal predicate

> 主语 ＋ 名词（名词结构或数量词等）
> Subject ＋ noun（nominal phrase or number，etc.）

（1）在汉语里，名词、名词结构、数量词都可以作谓语。在肯定句里，主、谓之间不加其他动词，如"有"、"是"等。

In an affirmative sentence, no verb (such as "yǒu" or "shì") is used between the subject and predicate.

1. 现在八点半了。

Xiànzài bā diǎn bàn le.

2. 今天星期二。

Jīntiān xīngqī èr.

3. 我二十岁。

Wǒ èrshí suì.

4. 你哪儿人？

Nǐ nǎr rén?

5. 三本书一共九十元。

Sān běn shū yīgòng jiǔshí yuán.

（2）名词谓语句一般没有否定形式。必须否定时，用"不是"来表示。请注意"不是"的位置。

Normally, a sentence with a nominal predicate has no negative form. To negate such sentences, it is necessary to use "bùshì". Pay special attention to the position of "bùshì"; it is usually inserted before the nominal predicate.

例:Examples:

1. 今天不是星期五。

   Jīntiān bùshì xīngqī wǔ.

2. 这本字典不是三十六块。

   Zhè běn zìdiǎn bùshì sānshí liù kuài.

练 习
Exercise

一、回答问题:

Answer following questions:

1. 北京的冬天冷吗?

   Běijīng de dōngtiān lěng ma?

2. 北京图书馆远不远?

   Běijīng Túshūguǎn yuǎn bu yuǎn?

3. 这件衣服的颜色很好看,你觉得样子怎么样?

   Zhè jiàn yīfu de yánsè hěn hǎo kàn, nǐ juéde yàngzi zěnmeyàng?

4. 这本字典好不好?

   Zhè běn zìdiǎn hǎo bu hǎo?

5. 你昨天看的电影有意思吗?

   Nǐ zuótiān kàn de diànyǐng yǒu yìsī ma?

6. 你妈妈今年多大年纪了?

   Nǐ māma jīnnián duōdà niánjì le?

7. 今天十八号吗?

   Jīntiān shí bā hào ma?

8. 明天星期六,我们去哪儿玩儿?

Míngtiān xīngqī liù, wǒmen qù nǎr wánr?

9. 你们学校的图书馆大不大？

Nǐmen xuéxiào de túshūguǎn dà bu dà?

10. 大使馆的新房子漂亮吗？

Dàshǐguǎn de xīn fángzǐ piàoliàng ma?

二、请就以下时间提问，并用两种形式回答：

Make questions using the following times, and answer these questions using two different forms.

例：Example：10:45

现在几点钟？

Xiànzài jǐ diǎn zhōng?

现在十点三刻。

Xiànzài shí diǎn sān kè.

现在差一刻十一点。

Xiànzài chà yī kè shí yī diǎn.

1) 12:55   2) 11:30   3) 2:50   4) 9:56   5) 11:02

6) 7:15   7) 1:45   8) 8:01   9) 5:50   10) 6:59

三、选词填空：

Fill in the blanks with suitable words selected from the following:

大，　小，　多，　少，　干净，　脏，　难，　容易，

dà, xiǎo, duō, shǎo, gānjìng, zāng, nán, róngyì,

快，　慢，　新，　旧，　安静，　宽，　窄，　胖，　瘦，

kuài, màn, xīn, jiù, ān'jìng kuān, zhǎi, pàng, shòu

聪明，　　远，　近；

cōngming, yuǎn, jìn：

1. 我们的房间很_____,他们的房间很_____。

   Wǒmén de fángjiān hěn _____, tāmén de fángjiān hěn _____.

2. 我们的公司离市中心_____,开车五分钟就到了。

   Wǒmén de gōngsī lí shì zhōngxīn _____, kāi chē wǔ fēnzhōng jiù dào le.

3. 爸爸的工资_____,我的工资_____;爸爸常常给我钱,可是我不好意思要。

   Bàbà de gōngzi _____, wǒ de gōngzi _____; Bàba chángcháng gěi wǒ qián, kěshì wǒ bù hǎo yìsī yào.

4. 你的手怎么这么_____,看! 我的手多么_____。

   Nǐ de shǒu zěnme zhème _____, Kàn! Wǒ de shǒu duōme _____.

5. 今年汉语水平考试的题很_____,去年的很_____。

   Jīnnián hànyǔ shuǐpíng kǎoshì de tí hěn _____, qùnián de hěn _____.

6. 坐飞机_____,坐船_____。

   Zuò fēijī _____, zuò chuán _____.

7. 你看,你的字典还很_____,可是我的已经_____了。

   Nǐ kàn, nǐ de zìdiǎn hái hěn _____, kěshì wǒ de yǐjīng _____.

8. 以前这条街太_____了,常常堵车;现在这条街_____了,再也不堵车了。

   Yǐqián zhè tiáo jiē tài _____ le, chángcháng dǔ chē; xiànzài zhè tiáo jiē _____ le, zài yě bù dǔ chē le.

9. 去年这个时候我很_____,今年很_____,因为我每天喝减肥茶。

   Qùnián zhè gè shíhòu wǒ hěn _____, jīnnián hěn _____,

yīnwéi wǒ měitiān hē jiǎnféi chá.

10. 你真 _____ ，找了一个这么好的地方看书，这儿太 _____ 了。

Nǐ zhēn _____, zhǎo le yī gè zhème hǎo de dìfāng kàn shū, zhèr tài _____ le.

四、请把下面的句子翻译成中文：

Translate following sentences into Chinese：

1. What is the time now?

2. Where do you come from? (What is your nationality?)

3. Is Chinese grammar difficult?

4. What day is today?

5. How old are you?

6. What is the temperature in Shanghai, is it hot?

7. Are there more young people or older people in your Embassy?

8. Is the Great Wall far from here?

9. Are you busy in this week?

10. This article of clothing is too expensive.

五、阅读短文并回答问题：

Read the following paragraphs and answer the questions：

今天星期三，我来北京一个星期了。明天八月三十号，是我妈妈的生日。我应该打电话去祝贺，也告诉她我来北京以后的情况。

我要告诉妈妈，来北京以后，我住在长城饭店，这个饭店很漂亮，很干净，也很安静，但是太贵，跟巴黎的饭店一样贵！现在是公司付钱，如果自己付钱，我就不能住在这儿了。

我还要告诉妈妈，我已经开始学习中文了。中文的发音不难，语法也容易；可是，写字太难了，像画画儿一样。我喜欢学习中文。我想，两个月以后，我就可以用中文打电话了。

Jīntiān xīngqī sān, wǒ lái běijīng yī ge xīngqī le. Míngtiān bā yuè sān shí hào, shì wǒ māma de shēngrì. Wǒ yīnggāi dǎ diànhuà qù zhùhè, yě gàosu tā wǒ lái Běijīng yǐhòu de qíngkuàng.

Wǒ yào gàosu māma, lái Běijīng yǐhòu, wǒ zhù zài Chángchéng Fàndiàn, zhè gè fàndiàn hěn piàoliang, hěn gānjìng, yě hěn ān'jìng, dànshì tài guì, gēn Bālí de fàndiàn yīyàng guì! Xiànzài shì gōngsī fù qián, rúguǒ zìjǐ fù qián, wǒ jiù bù néng zhù zài zhèr le.

Wǒ hái yào gàosù māma, wǒ yǐjīng kāishǐ xuéxí zhōngwén le. Zhōngwén de fāyīn bù nán, yǔfǎ yě róngyì; kěshì, xiě zì tài nán le, xiàng huà huàr yīyàng. Wǒ xǐhuān xuéxí zhōngwén. Wǒ xiǎng, liǎng ge yuè yǐhòu, wǒ jiù kěyǐ yòng zhōngwén dǎ diànhuà le.

1. 今天星期几？

   Jīntiān xīngqī jǐ?

2. 你妈妈的生日是几月几号？

   Nǐ māma de shēngri shì jǐ yuè jǐ hào?

3. 长城饭店怎么样？

   Chángchéng Fàndiàn zěnmeyàng?

4. 中文难不难？

   Zhōngwén nán bu nán?

三　表示存在的句子

Chapter 3　EXISTENTIAL SENTENCES

这种句子可以表示某人或某事物在某处存在、出现或消失。

This kind of sentence indicates the existence, appearance or disappearance of a person or thing.

（一）表示存在

Expressing the existence of a person or thing.

> 处所词＋动词结构＋名词结构
>
> Place word ＋ verbal phrase ＋ nominal phrase

1. 门口停着几辆汽车。

   Ménkǒu tíngzhe jǐ liàng qìchè.

2. 桌子上有三本书。

   Zhuōzi shang yǒu sān běn shū.

3. 楼的前边是一个公园。

   Lóu de qiánbian shì yī gè gōngyuán.

4. 床上躺着一个人。

   Chuáng shang tǎngzhe yī gè rén.

注意：Notes：

（1）表示存在时，处所词不能缺少。处所词前不再加介词。

This kind of sentence begins with a place word. Note that the place word is usually NOT preceded by a preposition.

（2）动词结构表示存在方式,多为"有""是"或"动词＋着"

The verb phrase indicates the manner of existence. Normally, the verb is either "yǒu," "shì," or a verb＋ "zhe".

（3）名词结构一般是不定指的人或事物。前边多带数量词。

The noun phrase（referring to people or things）is usually indefinite, and is often modified by a number ＋ a measure word.

偏误：Errors：

＊<u>在</u>桌子上有三本书.

<u>Zài</u> zhuōzi shang yǒu sān běn shū.

＊<u>在</u>床上躺着一个人。

<u>Zài</u> chuáng shang tǎngzhe yī ge rén.

＊床上躺着<u>他</u>

Chuáng shàng tǎngzhe <u>tā</u>.

（二）表示出现或消失

Expressing the appearance or disappearance of a person or thing.

> 处所词/时间词＋动词结构＋名词结构
> **Place word /time word ＋ verbal phrase ＋ nominal phrase**

昨天我家来了一位客人。

Zuótiān wǒ jiā láile yī wèi kèrén.

车里走下来几个人。

Chē li zǒu xiàlái jǐ gè rén.

那边跑过来一个小孩。

Nàbiān pǎo guòlái yī ge xiǎohái.

后边开过来一辆汽车。

Hòubian kāi guòlái yī liàng qìchē.

注意:Notes:

(1) 动词结构多为"动词＋了"或"动词＋补语"。

The verb phrase usually consists of a verb ＋ "le" or a verb ＋ complement.

(2) 当没有处所词时,时间词不能缺少。

If no place word appears in the sentence, there must be a time word.

练 习
Exercise

一、翻译下面的句子:

Translate the following sentences into English:

1. 书架上有几本词典。

   Shūjià shang yǒu jǐ běn cídiǎn.

2. 商店里有很多顾客。

   Shāngdiàn li yǒu hěn duō gùkè.

3. 桌子上放着报纸和杂志。

   Zhuōzi shang fàngzhe bàozhǐ hé zázhì.

4. 墙上挂着一幅画。

   Qiáng shang guàzhe yī fú huà.

5. 学校旁边是一片小树林。

   Xuéxiào pángbiān shì yī piàn xiǎo shùlín.

6. 邮局后边是一个公园。

   Yóujú hòubian shì yī ge gōngyuán.

7. 我们公司来了一位新同事。

Wǒmen gōngsī láile yī wèi xīn tóngshì.

8. 楼上走下来一位八十多岁的老人。

Lóushàng zǒu xiàlái yī wèi bāshí duō suì de lǎorén.

二、把下面的句子改成存现句：

Change the following into existential sentences：

1. 有一个老师从前边走过来了。

Yǒu yī ge lǎoshī cóng qiánbian zǒu guòlái le.

2. 有一件衣服从楼上刮下来了。

Yǒu yī jiàn yīfu cóng lóu shang guā xiàlái le.

3. 有几辆汽车从学校里开出来了。

Yǒu jǐ liàng qìchē cóng xuéxiào li kāi chūlái le.

4. 有很多杂志在书架上放着。

Yǒu hěn duō zázhì zài shūjià shang fàngzhe.

5. 有几张字画在墙上挂着。

Yǒu jǐ zhāng zìhuà zài qiáng shang guàzhe.

6. 很多自行车在楼外边放着。

Hěn duō zìxíngchē zài lóu wàibian fàngzhe.

7. 几个学生在主席台上坐着。

Jǐ ge xuésheng zài zhǔxítái shang zuòzhe.

三、改正下列错句：

Correct the errors in the following sentences：

1. 在桌子上放着很多书。

Zài zhuōzi shang fàngzhe hěn duō shū.

2. 教室里坐很多学生。

Jiàoshì li zuò hěn duō xuésheng.

3．楼上走下来那个人。

　　Lóu shang zǒu xiàlái nà ge rén.

4．前边跑几个人过来。

　　Qiánbian pǎo jǐ ge rén guòlái.

5．昨天家里来几位客人。

　　Zuótiān jiā lǐ lái jǐ wèi kèrén.

四、用所给的词填空：

Fill in the blanks with the following words：

是　　　有　　　放着　　　摆着　　　挂着

shì　　yǒu　　fàngzhe　　bǎizhe　　guàzhe

我的房间不大，可是很整洁。房间左边＿＿一张床。床边＿＿一个大衣柜。柜子里＿＿很多衣服。衣柜左边＿＿两个书架，书架上＿＿很多书。房间的右边＿＿一张桌子，桌子上＿＿电视机。

　　Wǒ de fángjiān bù dà, kěshì hěn zhěngjié. Fángjiān zuǒbian ＿＿ yī zhāng chuáng. Chuáng biān ＿＿ yī ge dà yīguì. Guìzǐ li ＿＿ hěn duō yīfu. Yīguì zuǒbian ＿＿ liǎng ge shūjià, shūjià shang ＿＿ hěn duō shū. Fángjiān de yòubian ＿＿ yī zhāng zhuōzi, zhuōzi shang ＿＿ diànshìjī.

43

四 汉语表示时(间)和(动)态的方法

Chapter 4 WAYS OF SHOWING TIME AND ASPECT OF AN ACTION

表示时间的方法
Ways of showing time

　　汉语表示时间的方法是用时间词。时间词可分为时点时间词和时段时间词。时点时间词表示某个特定的时间,用来回答"什么时候"的问题;时段时间词表示时间的长短,用来回答"多长时间"的问题。

Time is expressed in Chinese by means of time words. Time words can be divided into point‐in‐time words and duration words. A point‐in‐time word indicates a specific point in time and is used to answer the question"when";a duration word indicates a period of time and is used to answer the question "how long."

(一)时点时间词
Point‐in‐time word
一、时点时间词的构成
Types and examples of point‐in‐time words
1. 表示钟点的
　　Hours of the day

秒 miǎo、分 fēn、刻 kè、点 diǎn

2．表示年份、月份、日期的

Year，month，date，days of the week

号(日)hào(rì)、星期一～星期六(xīngqīyī～xīngqī liù)、星期天(xīngqītiān)、(一～十二)月(yī～shíèr) yuè、年(nián)

注意：Note：

表示日期的顺序是：年、月、日

Dates are expressed in the order "nián"，"yuè"，"rì"，from the bigger to the smaller：

3．由方位短语构成

Position phrase

以前(yǐqián)、以后(yǐhòu)、三年前(sānnián qián)、下班后(xià bān hòu)、考试中(kǎoshì zhōng)

4．这、那＋时候(时间)／动词性词语＋时(时候)

Zhè、nà＋shíhou(shíjiān)／verbal phrase＋shí(shíhou)

这时候(zhè shíhou)、那时候(nà shíhou)、上课时(shàngkè shí)、学习时(xuéxí shí)、回来时(huílai shí)

5．一般时间名词

General time words

早上、上午、中午、下午、晚上

zǎoshang、shàngwǔ、zhōngwǔ、xiàwǔ、wǎnshang

前天、昨天、今天、明天、后天

qiántiān、zuótiān、jīntiān、míngtiān、hòutiān

上(个)星期、这(个)星期、下(个)星期

shàng(ge)xīngqī、zhè(ge)xīngqī、xià(ge)xīngqī

上(个)月、这(个)月、下(个)月

shàng(ge)yuè、zhè(ge)yuè、xià(ge)yuè

前年、去年、今年、明年

qiánnián、qùnián、jīnnián、míngnián

二、时点时间词在句中的位置

The position of a point－in－time word in a sentence

时点时间词在句中作状语时,必须位于动词前。这和英语中时间词的位置不同。

When used as an adverbial, the point-in-time time word must be placed before the verb. This is different from the position of the time word in English.

> 主语 + 时点词 + 动词 + 其他
> Subject + point-in-time word + verb + other words

或者 or

> 时点词 + 主语 + 动词 + 其他
> Point-in-time word + subject + verb + other words

时点时间词放在主语前或主语后都可以。放在主语前有强调时间的意思。

A point－in－time word can be placed either before or after the subject. When it is placed before the subject, the sentence emphasizes the time.

我们昨天去长城了。

Wǒmen zuótiān qù Chángchéng le.

他今天下午三点坐飞机去上海。

Tā jīntiān xiàwǔ sāndiǎn zuò fēijī qù Shànghǎi.

他5月1号回国。

Tā wǔyuè yī hào huí guó.

上班前他给我打了一个电话。

Shàngbān qián tā gěi wǒ dǎle yī ge diànhuà.

你回国的时候别忘了告诉我。

Nǐ huí guó de shíhou bié wàngle gàosu wǒ.

偏误：Error：

* 我们去了长城昨天。

    Wǒmán qù le Chángchéng zuótiān.

* 别忘了告诉我，你回国的时候。

    Bié wàngle gàosu wǒ, nǐ huí guó de shíhou.

（二）时段时间词
Duration time word
一、时段时间词的构成
Types and examples of duration time words

1. 数词 + 秒, 分钟, 刻钟, 周, 天, 年

    Numeral word + "miǎo", "fēnzhōng", "kèzhōng", "zhōu", "tiān", "nián"

如：五秒 十分钟 一刻钟 三周 两天 八年

e.g.：wǔmiǎo shífēnzhōng yīkèzhōng sānzhōu liǎngtiān bānián

2. 数词 + 个 + 钟头, 月

    Numeral word + "ge" + "zhōngtóu", "yuè"

如：一个钟头 三个月

e.g.：yīgè zhōngtóu sānge yuè

3. 数词 + (个) + 小时, 星期

    Numeral word + ("ge") + "xiǎoshí", "xīngqī"

如：两(个)小时 五(个)星期

e.g.：liǎng(ge)xiǎoshí wǔ(ge)xīngqī

二、时段时间词在句子中的位置

The position of the duration word in a sentence.

时段时间词在句子中可以放在动词前，也可以放在动词后。

The duration word can be placed before or after the verb. The meaning of the sentence differs according to the placement of the duration word.

（一）放在动词前

Before the verb

> 主语＋时段词＋动词＋其他
> Subject ＋ duration word ＋ verb ＋ other words

或者 or

> 时段词＋主语＋动词＋其他
> Duration word ＋ subject ＋ verb ＋ other words

（1）表示这段时间里发生了什么事或存在着什么情况。

Indicating what has happened or what the situation is during this period of time.

1．他三天看了一本书。

　　Tā sān tiān kànle yī běn shū.

2．我一年没给他写信了。

　　Wǒ yī nián méi gěi tā xiěxìn le.

3．一年他穿坏了两双鞋。

　　Yī nián tā chuānhuài le liǎng shuāng xié.

（2）表示每间隔一段时间就进行一次活动。

Indicating the action happens at a certain frequency.

1．我两年回一次家。

48

Wǒ liǎng nián huí yī cì jiā.

2. 他一个月看一场电影。

　　Tā yī ge yuè kàn yī chǎng diànyǐng.

3. 她每两个小时给公司打一次电话。

　　Tā měi liǎng ge xiǎoshí gěi gōngsī dǎ yī cì diànhuà.

（二）放在动词后

After the verb

（1）表示动作完成后经历的时间。动词多为不可持续性动词，如"死、毕业、回、来、丢"等。

Indicating the period of time elapsed after the completion of the action. Verbs usually express an action that cannot be sustained, such as "sǐ, bìyè, huí, lái, diū" etc.

主语＋动词＋时段词
Subject ＋verb ＋duration time word

或者 or

主语＋动词＋宾语＋时段词
Subject ＋verb ＋object ＋duration time word

1. 他死了两年了。

　　Tā sǐle liǎng nián le.

2. 他的钱包丢了一个月了。

　　Tā de qiánbāo diūle yī ge yuè le.

3. 我来中国两年了。

　　Wǒ lái Zhōngguó liǎng nián le.

4. 他去美国半年。

　　Tā qù Měiguó bàn nián.

（2）表示动作行为或状态持续的时间。动词多为可持续性动词,如"等,作,看,工作,听,写"等。

Indicating a period of time that an action or a state lasts. The verb generally expresses a sustainable action, such as "děng, zuò, kàn, gōngzuò, tīng, xiě" etc.

> 主语 + 动词 + 时段词
> Subject + verb + duration time word

或者 or

> 主语 + 动词 + 宾语 + 同一动词 + 时段词
> Subject + verb + object + same verb + duration time word

1．他病了两年了。

　　Tā bìngle liǎng nián le.

2．请你等一会儿。

　　Qǐng nǐ děng yīhuìr.

3．昨天晚上他看电视看了两个小时。

　　Zuótiān wǎnshang tā kàn diànshì kànle liǎng ge xiǎoshí.

4．他学汉语学了三年。

　　Tā xué Hànyǔ xuéle sān nián.

5．我坐车坐了两个小时。

　　Wǒ zuòchē zuòle liǎng ge xiǎoshí.

注意:Note:

如果宾语不是人称代词,上面的格式可改为:

When the object is not a personal pronoun, the preceding formulas can be changed into:

50

主语＋动词＋时段词＋(的)＋宾语

Subject ＋ verb ＋ duration time word ＋ (de) ＋ object

1．昨天晚上他看了两个小时的电视。

　　Zuótiān wǎnshang tā kànle liǎng ge xiǎoshí de diànshì.

2．他学了三年汉语。

　　Tā xuéle sān nián Hànyǔ.

3．我坐了两个小时的车。

　　Wǒ zuòle liǎng ge xiǎoshí de chē.

偏误：Error:

＊我等了两个小时他。

　　Wǒ děngle liǎng ge xiǎoshí tā.

练　习
Exercise

一、回答下面的问题：

Answer the following questions：

1．你每天几点起床？几点吃早饭？

　　Nǐ měitiān jǐ diǎn qǐchuáng? Jǐ diǎn chī zǎofàn?

2．你每天几点上班？

　　Nǐ měitiān jǐ diǎn shàngbān?

3．早上你工作几个小时？

　　Zǎoshang nǐ gōngzuò jǐ ge xiǎoshí?

4．中午你休息吗？休息多长时间？

　　Zhōngwǔ nǐ xiūxi ma? Xiūxi duō cháng shíjiān?

5．下午你几点开始工作？

　　Xiàwǔ nǐ jǐ diǎn kāishǐ gōngzuò?

6. 你每天什么时候下班？

Nǐ měitiān shénme shíhou xiàbān?

7. 下班以后你锻炼身体吗？你锻炼多长时间？

Xiàban yǐhòu nǐ duànliàn shēntǐ ma? Nǐ duànliàn duō cháng shíjiān?

8. 你每天睡几个小时？

Nǐ měitiān shuì jǐ ge xiǎoshí?

9. 你是什么时候来北京的？

Nǐ shì shénme shíhou lái Běijīng de?

10. 你来北京多长时间了？

Nǐ lái Běijīng duō cháng shíjiān le?

二、辨别正误：

Decide which are the correct sentences:

1. 你学中文学了多长时间？

Nǐ xué Zhōngwén xué le duō cháng shíjiān?

你学了中文多长时间？

Nǐ xué le Zhōngwén duō cháng shíjiān?

2. 以后两个月，他就要出国了。

Yǐhòu liǎng ge yuè, tā jiù yào chū guó le.

两个月以后，他就要出国了。

Liǎng ge yuè yǐhou, tā jiù yào chū guó le.

3. 昨天他整整看了一天书。

Zuótiān tā zhěngzhěng kàn ke yī tiān shū.

昨天他整整看了书一天。

Zuótiān tā zhěngzhěng kàn le shū yī tiān.

4. 我们在这儿工作一年到两年。

Wǒmen zài zhèr gōngzuò yī nián dào liǎng nián.

我们在这儿一年到两年工作。

Wǒmen zài zhèr yī nián dào liǎng nián gōngzuò.

5. 他学习三个小时一个星期。

Tā xuéxí sān ge xiǎoshí yī ge xīngqī.

他一个星期学习三个小时。

Tā yī ge xīngqī xuéxí sān ge xiǎoshí.

三、用下列词组造带时量补语的句子：

Use the following phrases to make sentences containing the following phrases:

1.
在北京	生活	两年
zài Běijīng	shēnghuó	liǎng nián

2.
在北京	住	五年
zàiBěijīng	zhù	wǔnián

3.
从北京大学	毕业	半年
cóng Běijīng dàxué	bìyè	bànnián

4.
每星期	学习	中文	三天
měi xīngqī	xuéxí	Zhōngwén	sān tiān

5.
来	北京	一年半
lái	Běijīng	yī nián bàn

6.
昨天	游泳	一个小时
zuótiān	yóuyǒng	yī ge xiǎoshí

7.
昨天晚上睡觉	四个小时
zuótiān wǎnshang shuìjiào	sì ge xiǎoshí

8.
下班以后听音乐	一刻钟
xiàbān yǐhòu tīng yīnyuè	yīkè zhōng

四、阅读短文并复述：

Read the following short essay and retell it：

我们是八月二十七号到北京的。机场离学校很近，坐汽车坐半个小时就到了。到学校以后，我们先休息了三天，去北京的公园玩了玩。九月一号我们开始上课。每天上午上四个小时的课，下午休息半天，晚上有时候去图书馆学习。两个月过去了，我的汉语水平已经有了很大的提高。

Wǒmen shì bā yuè èrshíqī hào dào Běijīng de. Jīchǎng lí xuéxiào hěn jìn, zuò qìchē zuò bàn ge xiǎoshí jiù dào le. Dào xuéxiào yǐhòu, wǒmen xiān xiūxi le sān tiān, qù Běijīng de gōngyuán wánr le wánr. Jiǔ yuè yī hào wǒmen kāishǐ shàngkè. Měitiān shàngwǔ shàng sì ge xiǎoshí de kè, xiàwǔ xiūxi bàntiān, wǎnshang yǒushíhou qù túshūguǎn xuéxí. Liǎng ge yuè guòqù le, wǒ de Hànyǔ shuǐpíng yǐjīng yǒu le hěn dà de tígāo.

表示(动)态的方法
Ways of Showing Aspect of Action

A. 动作的进行
A. The Progressive Aspect

汉语表示动作进行的方法一般用"在"、"正在"、"正"、"在……呢"、"正……呢"或"呢"。

The progressive aspect of action in Chinese is indicated by "zài", "zhèngzài", "zhèng", "zài …… ne", "zhèng …… ne" or "ne".

（一）"在"，用在动词前主要表示动作的进程。

"Zài" before the verb mainly indicates the progressive aspect of action.

> 主语＋"在"＋动词
> Subject＋"zài"＋verb

1. 老李在打电话。
   Lǎo Lǐ zài dǎ diànhuà.
2. 大家在讨论政治问题。
   Dàjiā zài tǎolùn zhèngzhì wèntí.
3. 他在休息。
   Tā zài xiūxi.
4. 地球在不停地运转。
   Dìqiú zài bù tíng de yùnzhuǎn.
5. 他一直在等你。
   Tā yīzhí zài děng nǐ.

（二）"正在"，用在动词前，既指动作进行的过程又指动作进行的时间。

"zhèngzài" (sometimes "zhèng") is used before the verb to emphasize that the action is in progress at this very moment.

> 主语＋"正在"＋动词
> Subject＋"zhèngzài"＋verb

我们正在学习中文。
Wǒmen zhèngzài xuéxí Zhōngwén.
联合国正在帮助难民。

Liánhéguó zhèngzài bāngzhù nànmín.

他们正在听录音。

Tāmen zhèngzài tīng lùyīn.

主语 + "正" + 动词

Subject + "zhèng" + verb

时钟正打十二点,他就来了。

Shízhōng zhèng dǎ shí'èr diǎn, tā jiù lái le.

大家正等着他的到来。

Dàjiā zhèng děng zhe tā de dàolái.

请等一会儿,他正开着会。

Qǐng děng yíhuìr, tā zhèng kāi zhe huì.

(三)"在……呢"("呢""在……呢")

"zài……ne"("ne""zài……ne")

主语 + "在" + 动词 + "呢"

Subject + "zài" + verb + "ne"

它们在吃东西呢。

Tāmen zài chī dōngxi ne.

他们在开会呢。

Tāmen zài kāi huì ne.

主语 + "正" + 动词 + "呢"

Subject + "zhèng" + verb + "ne"

天正下雨呢。

Tiān zhèng xià yǔ ne.

56

老王正钓鱼呢。

Lǎo Wáng zhèng diào yú ne.

主语 ＋ 动词 ＋ 呢

Subject ＋ verb ＋ "ne"

他睡觉呢。

Tā shuìjiào ne.

外边下雨呢。

Wàibiān xiàyǔ ne.

他们吃午饭呢。

Tāmén chī wǔfàn ne.

练　习
Exercise

一、组句：

Rearrange the following words in the right order：

1. 老王　　　电话　　　打　　　正
  Lǎo Wáng　　diànhuà　　dǎ　　zhèng

2. 洗澡　　孩子　　在
  xǐzǎo　　háizi　　zài

3. 等　　呢　　着　　大家　　正　　她
  děng　　ne　　zhe　　dàjiā　　zhèng　　tā

4. 正在　　　谈判　　　进行
  zhèngzài　　tánpàn　　jìnxíng

5. 睡觉　　正　　呢　　他
  shuìjiào　　zhèng　　ne　　tā

6.
上	课	听力	学生们	在
shàng	kè	tīnglì	xuéshengmen	zài

7.
这个	代表团	国家	正在	访问
zhège	dàibiǎotuán	guójiā	zhèngzài	fǎngwèn

8.
问题	正在	被	解决	这个
wèntí	zhèngzài	bèi	jiějué	zhège

二、填空:

Fill in the blanks:

天_____下雨呢,老王_____在看朋友的路上。街上_____刮着大风,他_____吃力地走着。老王的朋友_____家里等着他的到来。他_____听天气预报,预报说,很多云_____向这里运动,明天的雨更大。

Tiān _____ xià yǔ ne, Lǎo Wáng _____ kàn péngyou de lùshang.

Jiēshang _____ guā zhe dàfēng, tā _____ chīlì de zǒu zhe. Lǎo Wáng de péngyou _____ jiāli děng zhe tā de dàolái. Tā _____ tīng tiānqì yùbào, yùbào shuō, hěnduō yún _____ xiàng zhèli yùndòng, míngtiān de yǔ gèng dà.

B. 动作的持续
B. Continuing Action

动态助词"着"附于动词后,表示动作或状态的持续。

"Zhe" follows a verb to express a continuing action, a continuing state resulting from an action, or the mode of an action.

（一）动词后附加"着"，表示动作的持续

Indicates an ongoing action.

> 主语＋动词＋着
> Subject＋verb＋"zhe"

1. 雨不停地下着。

   Yǔ bù tíng de xià zhe.

2. 汽车在高速公路上行驶着。

   Qìchē zài gāosù gōnglù shang xíngshǐ zhe.

3. 泪水不住地流着。

   Lèishuǐ bù zhù de liú zhe.

（二）表示状态的持续

Indicates a continuing state.

（1）表示某物在某处存在

Expresses that a given thing is in a certain location.

> 主语＋在＋处所词＋动词＋着
> Subject＋"zài"＋place＋verb＋"zhe"

1. 汽车在汽车场停着。

   Qìchē zài qìchē chǎng tíng zhe.

2. 王兰在沙发上坐着。

   Wánglán zài shāfā shàng zuò zhe.

3. 衣服在衣架上挂着。

   Yīfu zài yījià shang guà zhe.

（2）表示某处存在某物

Expresses that something is present in a given place.

处所词 + 动词 + 着 + 名词
Place + verb + "zhe" + noun

1. 大厅里站着几十名中外记者。

Dàtīng li zhàn zhe jǐ shí míng zhōng wài jìzhě.

2. 主席台上坐着几个重要人物。

Zhǔxí tái shang zuò zhe jǐ ge zhòngyào rénwù.

3. 桌上放着一份文件。

Zhuō shang fàng zhe yī fèn wénjiàn.

（3）表示某物状态的持续

Indicates the continuing state of a given thing.

名词短语 + 动词 + 着
Phrase + verb + "zhe"

1. 灯一直亮着。

Dēng yīzhí liàng zhe.

2. 大门一直开着。

Dàmén yīzhí kāi zhe.

3. 闹钟一直走着。

Nàozhōng yīzhí zǒu zhe.

（4）表示某人/物保留或附带着某物

Expresses that a given person or thing retains something or has something attached to it.

名/代词 + 动词 + 着 + 名词
Noun + pronoun + verb + "zhe" + noun

1. 他穿着一套灰衣服。

Tā chuān zhe yī tào huī yīfu.

2. 小李留着短发。

   Xiǎo Lǐ liú zhe duǎn fà.

3. 学生们戴着耳机。

   Xuéshengmen dài zhe ěrjī.

（5）重复附加"着"的动词，表示状态的持续

If the verb + "zhe" phrase is reduplicated, the meaning is the continuation of a state.

> 动词 + 着 + 重复动词 + 着
>
> Verb + "zhe" + repeated verb + "zhe"

1. 说着说着，他站了起来。

   Shuō zhe shuō zhe, tā zhàn le qǐlái.

2. 等着等着，他不耐烦了。

   Děng zhe děng zhe, tā bù nàifán le.

3. 听着听着，小张笑了起来。

   Tīng zhe tīng zhe, XiǎoZhāng xiào le qǐlái.

（三）第一个动词附加"着"，用在第二个动词前，表示第二个动作进行的方式。

A verb with "zhe" followed by another verb expresses the mode of the second action.

> 主语 + 动词 1 + 着 + 动词 2 + ⋯⋯
>
> Subject + verb 1 + "zhe" + verb 2 + ⋯⋯

1. 老师笑着说："太有意思了。"

   Lǎoshī xiào zhe shuō: "Tài yǒu yìsi le."

2．他听着音乐开车。

　　Tā tīng zhe yīnyuè kāi chē.

3．大家站着谈话。

　　Dàjiā zhàn zhe tánhuà.

C．动作的完成
C. The Perfect Aspect

汉语中，动态助词"了"用在动词后表示动作的完成。

In Chinese, the aspectual particle "le" may occur after the verb to indicate the completion of an action.

（一）动态助词"了"用在动词后表示动作的完成

The aspectual particle "le" occurs after the verb to indicate the completion of an action.

> 主语＋动词＋了
>
> Subject ＋ verb ＋ "le"

1．我买了一本书。

　　Wǒ mǎile yī běn shū.

2．我们参观了工厂。

　　Wǒmen cānguān le gōngchǎng.

注意："了"只与动作完成有关，与动作发生的时间无关。

Notes: The aspectual particle "le" only shows that an action is in the state of completion but has nothing to do with the time at which the action takes place.

　1．我昨天买了一本书。

Wǒ zuótiān mǎile yī běn shū.

2. 我明天买了书去看朋友。

Wǒ míngtiān mǎile shū qù kàn péngyou.

（二）带动态助词"了"的句子的否定式：动词前加副词"没（有）"，动词后不再加"了"。

The negative form of the sentence with the aspectual particle "le" is made by placing the negative adverb "méi" before the predicate verb, without "le" following it.

> 主语＋没（有）＋动词＋……
>
> Subject ＋ "méi(yǒu)" ＋ verb ＋……

1. 我没（有）买书。

Wǒ méi(yǒu) mǎi shū.

2. 我们没（有）参观工厂。

Wǒmen méi(yǒu) cānguān gōngchǎng.

（三）在表达以下四种情况时需要用动态助词"了"。

The following are the four usages of the aspectual particle "le".

(1) 叙述动作完成的结果（趋向、时量、动量等）。

The result of a completed action (complement of direction, complement of duration, complement of frequency).

> 主语＋动词＋了＋趋向补语/时量补语/动量补语
>
> Subject ＋ verb ＋ le ＋ complement of direction/ complement of duration/complement of frequency

1. 学生们走了进来，课开始了。（趋向补语）

Xuéshēngmen zǒule jìnlái，Kè kāishǐ le.（complement of direction）

2.学生们学汉语学了两个小时。（时量补语）

Xuéshēngmen xué Hànyǔ xuéle liǎng ge xiǎoshí.（complement of duration）

3.他找你找了三次。（动量补语）

Tā zhǎo nǐ zhǎole sān cì.（complement of frequency）

（2）叙述动作完成特指的对象或特指对象的数量。

The receiver of a completed action or the number of the receiver of a completed action.

> 主语＋动词＋了＋特指对象/特指对象的数量
> Subject ＋ verb ＋ "le" ＋ the receiver of a completed action /the number of the receiver of a completed action

1.他看了那场节目。

Tā kànle nà chǎng jiémù.

2.我们听了那个录音。

Wǒmen tīngle nà ge lùyīn.

3.他买了五箱啤酒。

Tā mǎile wǔ xiāng píjiǔ.

4.我们看了两场电影。

Wǒmen kànle liǎng chǎng diànyǐng.

（3）叙述在何时何地、何种原因、何种方式完成的动作。

The time，the place，the reason or the way of a completed action.

> 时间/地点/原因/方式＋主语＋动词＋了＋名词
> Time/Place/Reason/Way + Subject + verb +
> "le" + noun

1. 1990 年他得到了博士学位。

   1990 nián tā dédàole bóshì xuéwèi.

2. 在中国他学会了汉语。

   Zài Zhōngguó tā xuéhuìle Hànyǔ.

3. 骑车不能打伞，他买了雨衣。

   Qíchē bù néng dǎsǎn, tā mǎile yǔyī.

4. 他哥哥用自行车推着他去了医院。

   Tā gēge yòng zìxíngchē tuīzhe tā qùle yīyuàn.

（4）叙述动作完成后出现或将会出现另一动作或情况。

Emergence of another action.

1. 他下了班去游泳。

   Tā xiàle bān qù yóuyǒng.

2. 我下了汽车倒地铁。

   Wǒ xiàle qìchē dǎo dìtiě.

（四）在下列情况下即使动作完成也不用动态助词"了"。

The aspectual particle "le" is unnecessary although the actions have been completed in the following cases.

（1）在叙述已经发生了连续动作时,不用动态助词"了"。因为句子描述重点在动作连续,不在完成。

The particle "le" isn't used in a sentence with several verbs in succession because the focal point of the sentence is on the continuity of the action, not on the completion of the actions.

1. 早上起床以后,我刷牙,洗澡,梳头,半小时以后才去吃早饭。

Zǎoshang qǐchuáng yǐhòu, wǒ shuāyá, xǐzǎo, shūtóu, bàn xiǎoshí yǐhòu cái qù chī zǎofàn.

2. 听见铃声他立即下地,穿上鞋去开门。

Tīngjiàn língshēng tā lìjí xiàdì, Chuānshang xié qù kāimén.

(2) 宾语为动词,动词短语,主谓短语等时,动词后一般不用动态助词"了"。

The particle "le" is not used when the object of the sentence is a verb, a verb phrase or a subject-predicate phrase.

1. 我看见他拿着书包很快地走出校门。

Wǒ kànjiàn tā názhe shūbāo hěn kuài de zǒuchu xiàomén.

2. 他们决定先去上海,后去西安。

Tāmén juédìng xiān qù Shànghǎi, hòu qù Xī'ān.

3. 从去年六月起,他们开始学习法语,现在已经半年多了。

Cóng qùnián liùyuè qǐ, Tāmen kāishǐ xuéxí Fǎyǔ, xiànzài yǐjīng bànnián duō le.

(3) 连动句兼语句的第一动词后一般不能用动态助词"了"。

The particle "le" is not used after the first verb in a series of verbal expressions, or after the first verb of a pivotal construction.

1. 他们从罗马坐飞机来到了北京。

Tāmen cóng Luómǎ zuò fēijī láidào le Běijīng.

2. 他回过头来,看了我一眼。

Tā huíguò tóu lái, Kàn le wǒ yī yǎn.

3. 他的讲话帮助我们更了解了那个地区的情况。

Tā de jiǎnghuà bāngzhù wǒmen gèng liǎojiěle nàge dìqū de qíngkuàng.

（五）动态助词"了"的否定形式如前所述,动词前加"没(有)",动词后不再有"了",有些动词后可以加"了",表示对受事者产生的某种结果。在结构上与结果补语类似。

例如:吃,忘,丢,失,拉,喝,扔,放,擦,碰,开,洗,花,炸,伤,打,杀,切,卖,毁,拔,关,做,扯,烫,吞等动词都是可以带结果补语的动词。

The negative form of the perfect aspect of an action is made by placing the negative adverb "mei" before the predicate verb and omitting "le". But "le" is used after some verbs expressing result; this construction is similar to the complement of result.

The following verbs can have "le" as a complement of result: to eat, to forget, to lose, to pull, to drink, to throw, to put, to wipe, to collide, to open, to wash, to spend, to explode, to hurt, to beat, to kill, to sell, to destroy, to close, to do, to tear, to iron, to swallow, etc.

主语 + 没 + 动词 + 了
Subject + "méi" + verb + "le"

1. 我不知道这些发票有用,差一点儿没扔了。
   Wǒ bù zhīdào zhèxiē fāpiào yǒuyòng, Chà yìdiǎnr méi rēng le.
2. 他没卖了那座房子。
   Tā méi màile nà zuò fángzi.
3. 他没花了那笔钱。
   Tā méi huāle nà bǐ qián.

（六）在假设句中，动态助词"了"的否定形式是动词前用"别"、"不"，动词后有"了"。

In a conditional clause, the negative form of the perfect aspect of an action is made by placing "bié" or "bù" in front of the verb, and the verb is followed by "le".

> 不/别 + 动词 + 了
> Bù/bié + verb + "le"

1. 不擦了黑板，怎么上课？
   Bù cāle hēibǎn, zěnme shàngkè?
2. 别切了手，这刀很快。
   Bié qiēle shǒu, zhè dāo hěn kuài.
3. 不卖了猪，哪儿有钱买化肥？
   Bù màile zhū, nǎr yǒu qián mǎi huàféi?
4. 别丢了西瓜捡芝麻。
   Bié diūle xīguā jiǎn zhīma.

D 动作将要发生
D. An Action Which is Going to Happen

（一）表示动作行为将要发生或情况将要出现
Expressing an action or state which is going to come about.

> 要……（了）
> Yào……(le)

1. 明天他要去上海。
   Míngtiān tā yào qù Shànghǎi.

2. 要下雨了。

　　Yào xià yǔ le.

3. 那天我急得都要哭了。

　　Nà tiān wǒ jí de dōu yào kū le.

注意：Notes：

（1）"要……（了）"不仅可以用于将来，也可以用于过去。用于将来时可以没有表示将来的时间词；用于过去时，一般要有表示过去时间的时间词。

The construction "yào……(le)" can be used for an action or state not only in the future but also in the past. If the event is in the future, time words are not necessary, but if the event is in the past, the sentence normally contains a time word.

1. 当时火车要开了，他还没有来。

　　Dāngshí huǒchē yào kāi le, tā hái méiyǒu lái.

2. 昨天我正要出门就下雨了。

　　Zuótiān wǒ zhèng yào chūmén jiù xià yǔ le.

（2）因为"要"还可以表示意愿，所以在有些句子里可能会有多种意义。

Because "yào" can also mean "be willing to", a sentence with "yào" may be ambiguous.

他要去上海。

Tā yào qù Shànghǎi.

可能是：他想去上海。

kěněng shì：Tā xiǎng qù Shànghǎi.（May mean：He wants to go to Shanghai.）

Tā yào qù Shànghǎi le.（He is about to go to Shanghai.）

（3）"将要，将"也有些用法，但书面语色彩较浓．

"jiāngyào" and "jiāng" can also be used to express an action or state that is going to happen; however, they are more used in written style.

大使将参加这次会议.

Dàshǐ jiāng cānjiā zhè cì huìyì.

(二) 表示动作行为即将发生或情况即将出现
Expressing an action or state that is going to happen soon.

> 快要……了/就(要)……了
> kuài(yào)……le/jiù(yào)……le

1. 快上车! 火车就要开了。
   Kuài shàng chē! Huǒchē jiù yào kāi le.

2. 王先生快回国了。
   Wáng xiānsheng kuài huí guó le.

3. 天快亮了。
   Tiān kuài liàng le.

4. 当时飞机就要起飞了,他还没有来。
   Dāngshí fēijī jiù yào qǐfēi le, tā hái méiyǒu lái.

5. 他在天快亮的时候回到了家。
   Tā zài tiān kuài liàng de shíhou huídào le jiā.

注意:Notes:

(1) "快(要)……(要)……了"的前边除了可用"已经、都"外,不能用别的时间词。"就(要)……了"可以。

No time words except "yǐjīng" and "dōu" can be used before "kuài(yào)……le", but this restriction does not apply to "jiù(yào)……le".

偏误:Errors:

＊我们明天快要考试了。

Wǒmen míngtiān kuàiyào kǎoshì le.

* 下午他快要参加比赛了。

Xiàwǔ tā kuàiyào cānjiā bǐsài le.

(2) 时间词要放在"就要"前。

Time words should be placed before "jiù yào".

练 习
Exercise

一、翻译下面的句子：

Translate the following sentences into English：

1. 天气要暖和了。

   Tiānqì yào nuǎnhuo le.

2. 电影要开始了,我们进去吧。

   Diànyǐng yào kāishǐ le, wǒmen jìnqù ba.

3. 看样子,春天快要来了。

   Kànyàngzi, chūntiān kuài yào lái le.

4. 新年快要到了。

   Xīnnián kuàiyào dào le.

5. 他下星期就要离开北京了。

   Tā xià xīngqī jiùyào líkāi Běijīng le.

6. 我明年就要毕业了。

   Wǒ míngnián jiùyào bìyè le.

二、用"快要……了"、"就要……了"完成下列对话：

Complete the following dialogues with "kuàiyào……le", "jiùyào ……le"：

1. 电影什么时候开始？

Diànyǐng shénme shíhou kāishǐ?

八点。现在已经七点五十五了,电影＿＿＿＿。

Bā diǎn. Xiànzài yǐjīng qī diǎn wǔ shí wǔ le, diànyǐng ＿＿＿＿.

2. 小王,快点走,火车＿＿＿＿。

Xiǎo Wáng, kuài diǎn zǒu, huǒchē ＿＿＿＿.

别着急,还有十分钟呢!

Bié zháojí, hái yǒu shí fēnzhōng ne!

3. 你看,天气不好,＿＿＿＿。

Nǐ kàn, tiānqì bù hǎo, ＿＿＿＿.

没关系,我带着伞呢!

Méi guānxì, wǒ dàizhe sǎn ne!

4. 阿里几号来北京?

Ālǐ jǐ hào lái Běijīng?

八号。

Bāhào.

今天已经七号了,阿里明天＿＿＿＿。

Jīntiān yǐjīng qī hào le, Ālǐ míngtiān ＿＿＿＿.

三、改正下列错句:

Correct the errors in the following sentences:

1. 我们明天快要考试了。

Wǒmen míngtiān kuài yào kǎoshì le.

2. 下个月我的生日快到了。

Xià ge yuè wǒ de shēngrì kuài dào le.

3. 就要我们毕业了。

Jiù yào wǒmen bìyè le.

4. 快要电影结束了。

Kuài yào diànyǐng jiéshù le.

E. 动作的过去经历
E. Action Experienced in the Past

一、"过"附在动词后,表示过去曾经有过的经验或经历。

The marker "guo" is a verbal suffix. It indicates going through an experience or process at some time in the past.

(1) 表示曾经发生过这样的事,这一动作或状态已不再继续。

"guo" indicates that the event happened at least once in the past, but the action or resultant state does not continue.

> 主语 + 动词 + 过 + 宾语
> subject + verb + "guo" + object

1. 他去过长城。(现已不在长城)

   Tā qù guo Chángchéng. (He is no longer there right now.)

2. 这个老战士参加过二战。(已成为过去)

   Zhè ge lǎo zhànshi cānjiāguo Èrzhàn. (He fought in the past)

3. 北京举行过亚运会。(已成为过去)

   Běijīng jǔxíngguo Yà-yùn-huì. (This event has already become history.)

(2) 否定式 Negative

> 主语 + 没(有) + 动词 + 过
> subject + "méi(yǒu)" + verb + "guo"

小王没(有)去过西安。

Xiǎo Wáng méi(yǒu) qùguo Xī'ān.

这位朋友没(有)用过筷子。

Zhè wèi péngyou méi(yǒu) yòngguo kuàizi.

二、一部分带有动态意义的形容词加"过"表示过去的状态现在已经发生变化。

When used with some adjectives containing the meaning of a dynamic state, "guo" can indicate that a past state has changed.

（1）肯定式 Affirmative form

> 主语＋形容词＋过
>
> subject＋adjective＋"guo"……

1．他去年忙过一段时间,今年不忙了。

　　Tā qùnián mángguo yī duàn shíjiān, jīnnián bù máng le.

2．他小时候胖过。

　　Tā xiǎo shíhou pàngguo.

3．这件礼物让她兴奋过几天,现在又不新鲜了。

　　Zhè jiàn lǐwù ràng tā xīngfènguo jǐ tiān, xiànzài yòu bù xīnxiān le.

（2）否定式 Negative form

> 主语＋没(有)＋形容词＋过
>
> subject＋"méi(yǒu)"＋adjective＋"guo"

1．从前,我没(有)这么高兴过。

　　Cóngqián, wǒ méi(yǒu) zhème gāoxìngguo.

2．孩子们从来没(有)这么安静过。

　　Háizimen cónglái méi(yǒu) zhème ānjìngguo.

练 习
Exercise

一、组句：

Rearrange the following words in the right order：

1. 中国   汤姆   过   来
   Zhōngguó Tāngmǔ   guo   lái

2. 去   他   过   长城
   qù   tā   guo   Chángchéng

3. 我们   没   过   去   西安
   wǒmen   méi   guo   qù   Xī'ān

4. 练习   筷子   饭   吃   过   用   大家
   liànxí kuàizi fàn chī guo yòng dàjiā

5. 汉语   他   过   学   没
   Hànyǔ tā   guo   xué méi

二、填空：

Fill in the following blanks：

汤姆来_____中国。他参观_____长城,去_____西安,学习_____汉语,练习_____用筷子吃饭。中国的经历,让他非常兴奋。他的朋友都说,从来没看见_____汤姆这么高兴。

Tāngmǔ lái _____ Zhōngguó. Tā cānguān _____ Chángchéng, qù _____ Xī'ān, xuéxí _____ Hànyǔ, liànxí _____ yòng kuàizi chīfàn. Zhōngguó de jīnglì, ràng tā fēicháng xīngfèn. Tā de péngyou dōu shuō, cónglái méi kànjiàn _____ Tāngmǔ zhème gāoxìng.

75

五 语气助词"了"

Chapter 5 THE MODAL PARTICLE "LE"

第四章介绍了动态助词"了",这一章讲的是语气助词"了"。动态助词"了"用于动词后,表示动词的完成。语气助词"了"用于句尾,表示情况的变化,另外,有成句的作用,还可以表达不同的语气,如肯定,感叹等。

In Chapter 4 the aspectual particle "le" was introduced. In this chapter, we will discuss the modal particle "le". The aspectual particle "le" is used after a verb to indicate the completion of an action. The modal particle "le" is used at the end of a sentence to express the emergence of a new situation. It also has the function of completing the sentence, and can express various moods such as affirmation, exclamation etc.

语气助词"了"放在句子结尾可以表示四种不同的功能。

The modal particle "le" at the end of a sentence has four functions.

(一) 表示情况的变化

To express the emergence of a new situation.

(1) 表示到某一时刻为止出现的情况。

To express the emergence of a new situation as of a given moment.

1. 现在天冷了。

Xiànzài tiān lěng le.

2. 春天了,树绿了。

Chūntiān le, shù lǜ le.

3. 现在我们喜欢吃中国菜了。

Xiànzài wǒmen xǐhuan chī Zhōngguó cài le.

4. 他现在是老师了。

Tā xiànzài shì lǎoshī le.

5. 孩子饿了。

Háizi è le.

6. 他会看中文报纸了。

Tā huì kàn Zhōngwén bàozhǐ le.

7. 他学了半年汉语,现在听得懂了。

Tā xué le bàn nián Hànyǔ, xiànzài tīng de dǒng le.

8. 现在很多人买得起汽车了。

Xiànzài hěn duō rén mǎi de qǐ qìchē le.

9. 我的母亲九十岁了。

Wǒ de mǔqīn jiǔshí suì le.

10. 我们工作十个小时了。

Wǒmen gōngzuò shí ge xiǎoshí le.

(2) 表示情况即将发生

To show an event or action is imminent.

```
快/就/就要…… + 了
"kuaì/jiù/jiù yào"…… + "le"
```

1. 别走了,快下雨了。

Bié zǒu le, kuài xià yǔ le.

2. 她明年就毕业了。

Tā míngnián jiù bìyè le.

3 . 天安门就要到了。

　Tiān'ānmén jiù yào dào le.

（二）表示肯定的语气，肯定某件事已经发生，句中常有表示过去的时间状语

To express a tone of affirmation, that is, to announce or affirm the fact that something has already happened. An adverbial of time often occurs in such sentences.

1 . 昨天我去海关了。

　Zuótiān wǒ qù hǎiguān le.

2 . 上午他们打网球了。

　Shàngwǔ tāmen dǎ wǎngqiú le.

3 . 我们都看了这盘 VCD。

　Wǒmen dōu kànle zhè pán VCD.

（1）否定式是在动词前加"没（有）"，句尾不用"了"。

The negative form is made by adding the adverb "méi(yǒu)" before the verb and omitting "le" from the end of the sentence.

1 . 飞机票没有买到。

　Fēijīpiào méiyǒu mǎidào.

2 . 今天他的病没好，没上班。

　Jīntiān tā de bìng méi hǎo, méi shàng bān.

（2）疑问式可以用"……了？"或者"……了没有？"

"……le ma?" or "……le mei you?" can be used to form the interrogative sentence.

1 . 飞机票买到了吗？

　Fēijī piào mǎidào le ma?

2 . 今天他上班了没有？

　Jīntiān tā shàngbān le méiyǒu?

78

（三）强调主观见解，表示程度极高，有感叹意味

To express an extreme degree, with a tone of exclamation, emphasizing one's subjective opinion.

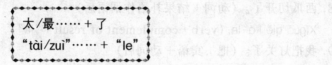

1. 这孩子太聪明了。

   Zhè háizi tài cōngming le.

2. 中国人口太多了。

   Zhōngguó rénkǒu tài duō le.

3. 十年来，今年的夏天最热了。

   Shí nián lái, Jīnnián de xiàtiān zuì rè le.

（四）语气助词"了"表示语气终结，有成句的作用

To signal the end of the statement.

1. 八点了。（某些名词后）

   Bā diǎn le. ("le" is used after some nouns)

2. 我胖了。（某些形容词后）

   Wǒ pàng le. ("le" is used after some adjectives)

3. 他走了。（某些动词后）

   Tā zǒu le. ("le" is used after some verbs)

4. 下雪了。（某些动宾短语后）

   Xià xuě le. (after some verb phrases)

5. 快到了。（动词前有"该，快，已经"等副词时）

   Kuài dào le. (before the verb there are the adverbs such as "gai, kuai, yijing" etc.)

6. 他喝了酒了。（动词＋了＋简单宾语后）

Tā hē le jiǔ le. (verb + "le" + simple object + "le")

7. 我们看了三个电影了。(动词 + 数量词语后)

Wǒmén kàn le sān ge diànyǐng le. (verb + "le" + numeral + measure word + noun + "le")

8. 西瓜切开了。(动词 + 结果补语作谓语后)

Xīguā qiē kāi le. (verb + complement of result + "le")

9. 我把灯关了。(把 + 宾语 + 动词后)

Wǒ bǎ dēng guān le. ("bǎ" + object + verb + "le")

10. 车被借走了。(主语 + 被 + 动词 + 结果补语后)

Chē bèi jiè zǒu le. (subject + "bèi" + verb + complement of result + "le")

以上句子如果句尾没有"了",语气不完整。

The sentences above sound incomplete if there is no final "le".

注意：Note:

(一) 带语气助词"了"的句子与时间概念的关系。

How the modal particle "le" relates to the notion of time.

句子如果没有时间词,带语气助词"了"的句子表示情况变化在说话时已经发了(例1);如果句子中有时间词,也可表示情况变化发生在过去或将来。(例2、3);在特定的语言环境中,没有时间词,"了"可表示即将发生的情况。(例4、5)。

If a sentence with modal "le" contains no time word, it generally indicates the situation has already happened (as in example 1). If a sentence with "le" contains a time word, the sentence may express past or future (as in examples 2 and 3). In certain cases, modal "le" in a sentence without a time word may indicate an imminent situation (as in examples 4 and 5).

1. 他上班了。(情况变化在说话之前)

Tā shàngbān le. (The situation has already happened)

2. 他昨天上班了。(情况变化在说话之前)

　　Tā zuótiān shàngbān le. (The situation changed in the past)

3. 下个月这孩子就一岁了。(情况变化即将发生)

　　Xià ge yuè zhè háizi jiù yī suì le. (A change in the situation is above to happen)

4. 我走了。(告别时用,情况变化即将发生)

　　Wǒ zǒu le. (Used when saying good‑bye. A new situation is about to come about.)

5. 再见了。(告别时用,情况变化即将发生)

　　Zài jiàn le. (Used when saying good‑bye. A new situation is about to come about)

(二)动态助词"了"与语气助词"了"同时出现在句中时,在下列情况下,动态助词"了"可以省略。

If a sentence contains both the aspectual particle "le" after a verb and the modal particle "le" at the end of the sentence, the aspectual "le" after the verb can be omitted under the following circumstances:

(1)带结果补语的动词后"了"可以省略,语义不变,因为结果补语已表示了动作的完成。

The aspectual particle "le" after a complement of result can be omitted. The meaning of the sentence does not change, because the complement of result possesses the meaning of completion of the action.

1. 他打开(了)窗户了。

　　Tā dǎkāi (le) chuānghu le.

2. 孩子们穿上(了)毛衣了。

　　Háizimen chuānshàng (le) máoyī le.

3. 我们都吃完(了)饭了。

Wǒmen dōu chīwán (le) fàn le.

（2）表示结束性的动词后，"了"可以省略，语义不变，因为此类动词动作一经发生就结束了。此类动词有："入、下、离开、死、结束、过去、出发、报名、毕业……"。

"Le" after a verb indicating conclusion can be omitted. The meaning of the sentence is unchanged because these kinds of verbs express an action which happens and concludes instantaneously. For examples: to enter, to go down, to leave, to die, to finish, to pass, to start, to register (enter one's name), to graduate etc.

1．他到（了）北京了。

　　Tā dào (le) Běijīng le.

2．他们出发（了）一个小时了。

　　Tāmen chūfā (le) yī ge xiǎoshí le.

3．她的哥哥结（了）婚了。

　　Tā de gēge jié(le)hūn le.

（三）动态助词"了"与语气助词"了"同时出现在句中时，在下列情况下，动态助词"了"不能省略。

If the same sentence contains both the aspectual particle "le" after a verb and "le" used as a modal particle, the aspect "le" after the verb cannot be omitted.

（1）在"动词＋了＋宾语＋了"结构中动态助词"了"不可省略，如省略，语义发生变化。

In the structure "Verb + 'le' + object + 'le'", the aspectual particle "le" after the verb cannot be omitted without changing the meaning of the sentence.

1．我喝了酒了。（表示：动作完成，事态变化了。）

　　Wǒ hēle jiǔ le. (The action has finished, and the situation

2. 我喝酒了。（表示：事态变化了，但动作是否完成没有讲明，可能动作还要继续，也可能不再继续了。）

Wǒ hē jiǔ le.（The situation has changed, but the action has not necessarily finished, it may continue or it may end.）

3. 他写了信了。（表示：动作完成，事态变化了。）

Tā xiěle xìn le.（The action has finished, and the situation has changed.）

4. 他写信了。（表示：事态变化了，但没有表示"写"的动作完成了。）

Tā xiě xìn le.（The situation has changed, but there is no implication as to whether the action of writing is finished.）

（2）在"动词＋了＋数量宾语/数量词语＋了"动态助词"了"不能省略，如省略，语义发生变化。

In the structure "Verb ＋ le ＋ numeral ＋ noun ＋ le" the "le" after the verb cannot be omitted without changing the meaning of the sentence.

1. 他读了两本书了。（表示动作完成的数量。）

Tā dúle liǎng běn shū le.（Expresses the number of books he has finished reading）

2. 他读两本书了。（表示发生的情况或变化）

Tā dú liǎng běn shū le.（Expresses a situation or a change）

3. 我等了十天了。（表示目前为止动作完成的数量）

Wǒ děngle shí tiān le.（Expresses the number of days I have waited till now）

4. 他跑了一百米了。（表示动作完成的数量）

Tā pǎo le yībǎi mǐ le.（Expresses the distance he has finished running）

5．他跑一百米了。（表示情况变化了）

Tā pǎo yībǎi mǐ le.（The situation has changed）

（3）在交际中语气助词"了"的语用功能：

The function of the modal particle "le" in communication：

"了"在交际中有特殊的表达信息的语用功能，由"了"表达的信息提请对方注意，从而产生一定的效果。

"Le" has a special communicative function of bringing information to the listener's attention, with the intent of achieving a certain result.

1．我十八岁了。（表达意向可能提请受话人注意，发话人已十八岁，是成年人了，不必为发话人太操劳了。）

Wǒ shíbā suì le.（The speaker may want the listener to pay attention to the fact that s／he is already 18 years old, and to conclude thereby that s／he is already an adult and can be independent.）

2．刮大风了。（表达意向可能是发话人不想外出了）

Guā dà fēng le.（The speaker may be implying that he doesn't want to go outside.）

3．西瓜切好了。（言下之意，等着人去吃了）

Xīguā qiē hǎo le.（The implication is that the watermelon is ready to be eaten.）

4．他发烧四十度了。（发话人提请对方注意，病人病情加重，应该采取措施了）

Tā fāshāo 40℃ le.（The speaker is calling the listener's attention to the seriousness of the fever, implying that something should be done to deal with it.）

练 习
Exercise

一、选词填空：

Fill in the blanks with appropriate words from this list：

大	冷	贵	累	便宜	决定	看	开
dà	lěng	guì	lèi	piányi	juédìng	kàn	kāi

1. 河结冰了，天气_____了。

   Hé jiēbīng le, tiānqì _____ le.

2. 肉类和蔬菜_____了，但鸡蛋_____了。

   Ròulèi hé shūcài _____ le, dàn jīdàn _____ le.

3. 他长_____了，也懂事了。

   Tā zhǎng _____ le, yě dǒngshì le.

4. 我要休息，我_____了。

   Wǒ yào xiūxī, wǒ _____ le.

5. 请做好准备，火车_____了。

   Qǐng zuòhǎo zhǔnbèi, huǒchē _____ le.

6. 这事不能改了，已经_____了。

   Zhèshì bùnéng gǎi le, yǐjīng _____ le.

7. 玛丽进步真快，能_____中文报纸了。

   Mǎlì jìnbù zhēn kuài, néng _____ Zhōngwén bàozhǐ le.

二、完成下列句子：

Complete the following sentences：

1. 今天上午你去哪儿了？

   Jīntiān shàngwǔ nǐ qù nǎr le?

   _____

2. 你刚才做什么了？

   Nǐ gāngcái zuò shénme le?

3. _____

他今天没有去上班。

Tā jīntiān méiyǒu qù shàngbān.

4. 你看了这盘录像带了吗？

Nǐ kàn le zhè pán lùxiàngdài le ma?

_____

5. _____

去年夏天他没有去德国，他去法国了。

Qùnián xiàtiān tā méiyǒu qù Déguó，tā qù Fǎguó le.

三、用"快/就/就要……了"填空：

Fill in the blanks with "kuài/jiù/jiù yào……le"：

1. 天_____下雨_____。

Tiān _____ xià yǔ _____.

2. 别走开，车_____来_____。

Bié zǒukāi，chē _____ lái _____.

3. 马上_____下课_____，再等一会儿吧。

Mǎshàng _____ xiàkè _____，zài děng yīhuìr ba.

4. 在这儿吃吧，饭_____做好_____。

Zài zhèr chī ba，fàn _____ zuòhǎo _____.

5. 这种药见效很快，病人_____好_____。

Zhè zhǒng yào jiànxiào hěn kuài，bìngrén _____ hǎo _____.

6. 学生们_____考试_____，现在组织活动不合适。

Xuéshēngmen _____ kǎoshì _____，xiànzài zǔzhī huódòng

bù héshì.

7. 他们好了几年了，_____快结婚_____。

Tāmen hǎo le jǐ nián le，_____ kuài jiéhūn _____.

8. 小李学得很刻苦，_____学会开车_____。

Xiǎo Lǐ xué de hěn kèkǔ, _____ xuéhuì kāi chē _____.

四、将下列句子译成英语：

Translate into English:

1. 那间屋子太大了。

   Nà jiān wūzǐ tài dà le.

2. 这儿的东西太贵了。

   Zhèr de dōngxī tài guì le.

3. 北京的人太多了。

   Běijīng de rén tài duō le.

4. 这个句子最难了，没有几个学生懂。

   Zhè ge jùzi zuì nán le, méiyǒu jǐ ge xuéshēng dǒng.

5. 那个人最坏了。

   Nà ge rén zuì huài le.

6. 这本书太没意思了。

   Zhè běn shū tài méi yìsi le.

7. 今年的冬天太冷了。

   Jīnnián de dōngtiān tài lěng le.

8. 你真是太笨了。

   Nǐ zhēn shì tài bèn le.

五、比较下列句子：

Compare the following:

1. 他瘦。

   Tā shòu.

   他瘦了。

   Tā shòu le.

2. 你去哪儿？

Nǐ qù nǎr?

你去哪儿了?

Nǐ qù nǎr le?

3. 我写了两封信。

Wǒ xiě le liǎng fēng xìn.

我写了两封信了。

Wǒ xiě le liǎng fēng xìn le.

4. 他上班。

Tā shàngbān.

他上班了。

Tā shàngbān le.

5. 天冷了,人们都穿上大衣了。

Tiān lěng le, rénmén dōu chuānshàng dàyī le.

天冷了,人们都穿上了大衣。

Tiān lěng le, rénmen dōu chuānshang le dàyī.

6. 他结了婚了。

Tā jié le hūn le.

他结婚了。

Tā jié hūn le.

7. 我老。

Wǒ lǎo.

我老了。

Wǒ lǎo le.

8. 他喝了药了。

Tā hē le yào le.

他喝药了。

Tā hē yào le.

六 补 语

Chapter 6 COMPLEMENT

（一）结果补语

Complement of result

汉语里,表示一个动作及由此所带来的结果时,在动作后面所加的成分叫结果补语,结果补语有完成形式和可能形式。

In Chinese, there is a type of verbal complement which is placed after the verb and expresses the result of the action. There are two subtypes: the completed form and the potential form.

（1）完成形式在结果已经出现时用,可能形式只表示结果出现的可能性。

The completed form is used when the result has already come about, and the potential form when the result is just a possibility.

	完成形式 Completed form	可能形式 Potential form
肯定式 Affirmative form	动词 + 结果补语 Verb + complement of result	动词 + 不 + 结果补语 Verb + "bu" + comple- ment of result
	看见 kànjiàn	看得见 kàn de jiàn
	买到 mǎidào	买不到 mǎi bu dào
	修好 xiūhǎo	修得好 xiū de hǎo

否定式
Negative
form

没 + 动词 + 结果补语 "Mei" + verb + com- plement of result	动词 + 不 + 结果补语 Verb + "bu" + comple- ment of result
没看见 méi kànjiàn	看不见 kàn bu jiàn
没买到 méi mǎidào	买不到 mǎi bu dào
没修好 méi xiūhǎo	修不好 xiū bu hǎo

1. —昨天我在电影院里看见你了。

—Zuótiān wǒ zài diànyǐng yuàn li kànjiàn nǐ le.

—是吗？我怎么没看见你？

—Shì ma? Wǒ zěnme méi kànjiàn nǐ?

—我在楼上，所以我看得见你，你看不见我。

—Wǒ zài lóu shàng, suǒyǐ wǒ kàn de jiàn nǐ, nǐ kàn bu jiàn wǒ.

2. —我喜欢住在南方，很多北方吃不到的东西南方都有。

—Wǒ xǐhuan zhùzài nánfāng, hěn duō běifāng chī bu dào de dōngxi nánfāng dōu yǒu.

—可北方也有很多南方吃不到的东西啊！

—Kě běifāng yě yǒu hěn duō nánfāng chī bu dào de dōngxi a!

3. —这块表还修得好修不好？

—Zhè kuài biǎo hái xiū de hǎo xiū bu hǎo?

—修不好了。

—Xiū bu hǎo le.

—没关系，修不好买新的。

—Méi guānxi, xiū bu hǎo mǎi xīn de.

—你说得容易，现在还买得到吗？

—Nǐ shuō de róngyi, xiànzài hái mǎi de dào ma?

（2）可能形式的否定形式更常用，肯定式只有在正反对比或问答句时用。

The negative form of the potential complement of result is more often used than the positive form. The affirmative form is generally used only in a yes - no question, or in the answer to a question.

1．这本书我一个晚上看不完。

　　Zhè běn shū wǒ yī ge wǎnshang kàn bu wán.

2．这种衣服现在买不到了。

　　Zhè zhǒng yīfu xiànzài mǎi bu dào le.

3．别给我了，我吃不下了。

　　Bié gěi wǒ le, wǒ chī bu xià le.

4．我听不清楚。

　　Wǒ tīng bu qīngchu.

5．窗户打不开。

　　Chuānghu dǎ bu kāi.

6．玛丽学了一年汉语，现在听得懂，看不懂。

　　Mǎlì xué le yī nián Hànyǔ, xiànzài tīng de dǒng, kàn bu dǒng.

7．这墙刷得白吗？刷得白。/刷不白。

　　Zhè qiáng shuā de bái ma? Shuā de bái. /Shuā bu bái.

8．一斤饺子你一个人吃得了吗？吃得了。/吃不了。

　　Yì jīn jiǎozi nǐ yī ge rén chī de liǎo ma? Chī de liǎo. /Chī bu liǎo.

9．六点起得来起不来？起得来。/起不来。

　　Liù diǎn qǐ de lái qǐ bu lái? Qǐ de lái. /Qǐ bu lái.

10．您在北京住得惯吗？住得惯。/住不惯。

Nín zài Běijīng zhù de guàn ma? Zhù de guàn. /Zhù bu guàn.

（3）只有在意义上能补充说明动作结果的动词或形容词才能作结果补语。

此类动词有：会、完、见、懂、开、着、住、在、到、给、倒、掉、死、遍……

此类形容词有：对、错、好、坏、大、早、晚、快、慢、烂、惯、清楚、干净、整齐……

Only verbs and adjectives that can convey a sense of result can serve as a complement of result.

Such verbs include："huì"，"wán"，"jiàn"，" dǒng" "kāi"，"zháo"，"zhù"，"zài"，"dào"，"gěi"，"dào"，"diào"，"sǐ"，"biàn"……

Such adjectives include："duì"，"cuò"，"hǎo"，"huài"，"dà"，"zǎo"，"wǎn"，"kuài"，"màn"，"làn"，"guàn"，"qīngchu"，"gānjìng"，"zhěngqí"……

常用作结果补语的动词和形容词有：

Some of the more common verbs and adjectives used as a complement of result are：

完：表示动作完成

Wán：Indicates the completion of an action.

1．我洗完衣服再做饭。

　　Wǒ xǐwán yīfu zài zuòfàn.

2．他刚说完就忘了。

　　Tā gāng shuōwán jiù wàng le.

3．做完作业再看电视。

　　Zuòwán zuòyè zài kàn diànshì.

4．这些纸用得完用不完？

　　Zhè xiē zhǐ yòng de wán yòng bu wán?

5. 别吵了，我写不完了。

　　Bié chǎo le, wǒ xiě bu wán le.

> 见：表示看或听的结果，即"看到"或"听到"；表示用鼻子闻到
>　　也可以用"见"，如"闻见"。
>
> Jiàn：Indicates perception as the result of looking, listen-
>　　ing, or smelling. "Kànjian" means "to see", "tīngjian"
>　　means "to hear", "wénjian" means "to smell".

1. 我今天在市场上看见了老李。

　　Wǒ jīntiān zài shìchǎng shang kànjiàn le Lǎo Lǐ.

2. 昨天晚上我听见有人在哭。

　　Zuótiān wǎnshang wǒ tīngjiàn yǒu rén zài kū.

3. 看见了吗？在那儿。

　　Kànjiàn le ma? Zài nàr.

4. 你闻不见吗？饭糊了。

　　Nǐ wén bu jiàn ma? Fàn hú le.

5. 你大点儿声说话，她耳朵不好，听不见。

　　Nǐ dà diǎnr shēng shuōhuà, tā ěrduo bù hǎo, tīng bu jiàn.

> 在：表示动作使某人或某物停留在某处时用"在"，"在"后常带
>　　方位词、处所词。
>
> Zài：An action that results in a person or thing coming to
>　　rest in a certain place is often expressed with "zài",
>　　which in turn is usually followed by a location word
>　　or a place word.

1. 他把书放在了桌子上。

　　Tā bǎ shū fàngzàile zhuōzi shang.

2. 您坐在中间。

Nín zuòzài zhōngjiān.

3. 她每天都待在家里。

Tā měitiān dōu dāizài jiā li.

到：表示动作达到了某种或状态，用"到"，一般是指通过努力才达到的，用"见"的结果补语句都可以换成"到"。

Dào：A certain goal or state that has been obtained through effort is often expressed by the verbal complement"dào". In addition, any complement of result that can be expressed with"jiān" can alternatively be expressed with "dào".

---

1. 今天我们学到了第七课。

Jīntiān wǒmen xuédàole dì qī kè.

2. 找了一个多小时，我们才找到他的家。

Zhǎole yī ge duō xiǎoshí, wǒmen cái zhǎodào ta de jiā.

3. 布朗先生每天都工作到晚上七八点。

Bùlǎng xiānsheng měitiān dōu gōngzuò dào wǎnshang qī bā diǎn.

4. 孩子们已经回到家了。

Háizimen yǐjīng huídào jiā le.

5. 明天你见得到李大使吗？

Míngtiān nǐ jiàn de dào Lǐ dàshǐ ma?

6. 这种鞋北京买不到，上海买得到。

Zhè zhǒng xié Běijīng mǎi bu dào, Shànghǎi mǎi de dào.

> 给:表示一方通过动作将东西传递给另一方时用"给"。
>
> Gěi:To pass something from one party to another party.

1. 生日的时候,妈妈送给我一个礼物。

    Shēngrì de shíhou, māma sònggěi wǒ yī ge lǐwù.

2. 我把这本书留给你吧。

    Wǒ bǎ zhè běn shū liúgěi nǐ ba.

3. 这钱快还给她。

    Zhè qián kuài huángěi tā.

4. 字典等我买到了再寄给你。

    Zìdiǎn děng wǒ mǎidàole zài jìgěi nǐ.

> 开:表示通过动作使人或东西离开原来的地方,分开一段距离
>   或使关闭的东西打开时,用"开"。
>
> Kāi:To cause something to leave its original place;to sep-
>   arate things ;or to cause something closed to open.

1. 我可以打开窗户吗?

    Wǒ kěyǐ dǎkāi chuānghu ma?

2. 把灯开开,屋里太黑了。

    Bǎ dēng kāikāi,wū li tài hēi le.

3. 帮我把扣子解开行吗?

    Bāng wǒ bǎ kòuzi jiěkāi xíng ma?

4. 把刀子拿开,别让孩子玩儿。

    Bǎ dāozi nákāi, bié ràng háizi wánr.

5. 她心里不高兴,想一个人待一会儿,我们就都走开了。

    Tā xīn li bù gāoxìng, xiǎng yī ge rén dāi yīhuǐr,Wǒmen jiù dōu
    zǒukāi le.

6. 拧得太紧,打不开了。

　　Níng de tài jǐn, dǎ bu kāi le.

7. 她的成功和老师的帮助是分不开的。

　　Tā de chénggōng hé lǎoshī de bāngzhù shì fēn bu kāi de.

睁开(眼睛)　　　　张开(嘴)

zhēngkāi(yǎnjīng)　　zhāngkāi(zuǐ)

切开(西瓜)　　　　打开(书)

qiēkāi(xīguā)　　　　dǎkāi(shū)

敲开(门)　　　　　拉/推开(门、手、人)

qiāokāi(mén)　　　　lā/tuīkāi(mén, shǒu, rén)

住:表示通过动作使东西牢固地停留在某处。

Zhù: To result in something ending up in a static, stable, or fixed position.

---

1. 记住了,千万别忘了。

　　Jìzhù le, qiānwàn bié wàng le.

2. 快抓住他,别让他跑了。

　　Kuài zhuāzhù tā, bié ràng tā pǎo le.

3. 车开到使馆门口,停住了。

　　Chē kāidào shǐguǎn ménkǒu, tíngzhù le.

4. 这座大楼把光挡住了。

　　Zhè zuò dàlóu bǎ guāng dǎngzhù le.

5. 刹车坏了,停不住了。

　　Shāchē huài le, tíng bu zhù le.

6. 这个门卫看不住大门,一个星期里丢了两次东西。

　　Zhè ge ménwèi kān bu zhù dàmén, yī ge xīngqī li diūle liǎng cì

　　dōngxi.

96

> 好:表示妥当地完成时,用"好"。
>
> **Hǎo**:**Expresses completing something in a suitable way.**

1. 收拾好东西我就回家了。

   Shōushihǎo dōngxi wǒ jiù huí jiā le.

2. 大家请坐好,晚会就要开始了。

   Dàjiā qǐng zuòhǎo, wǎnhuì jiù yào kāishǐ le.

3. 写好了给我送来。

   Xiěhǎole gěi wǒ sònglai.

4. 把钱收好,别丢了。

   Bǎ qián shōuhǎo, bié diū le.

5. 这么难的工作我一个人可做不好。

   Zhème nán de gōngzuò wǒ yī ge rén kě zuò bu hǎo.

6. 火车几点能到,我说不好。

   Huǒchē jǐ diǎn néng dào, wǒ shuō bu hǎo.

(4) 有些结果补语只有可能形式。

Some complements of result have only the potential form.

> 起 **Qǐ**:**To afford.**

1. —这件衣服这么贵,你买得起吗?

   —Zhè jiàn yīfu zhème guì, nǐ mǎi de qǐ ma?

   —要是买不起就不来了。

   —Yàoshi mǎi bu qǐ jiù bù lái le.

2. 他住得起这么贵的房子,怎么用不起煤气?

   Tā zhù de qǐ zhème guì de fángzi, zěnme yòng bu qǐ méiqì?

3. 每天在这儿吃饭我可吃不起。

   Měitiān zài zhèr chīfàn wǒ kě chī bu qǐ.

"起"还有引申用法:

There are extended meanings for "qǐ".

> 看得起 Kàn de qǐ: have regard for, think highly of (someone)
>
> 看不起 Kàn bu qǐ: have no regard for, look down on, despise (someone)

1. ——他请你吃饭，一定是很看得起你。

   ——Tā qǐng nǐ chīfàn, yídìng shì hěn kàn de qǐ nǐ.

   ——他怎么会看不起我。

   ——Tā zěnme huì kàn bu qǐ wǒ.

2. 谁都不喜欢她，她总是看不起别人。

   Shuí dōu bù xǐhuan tā, tā zǒngshì kàn bu qǐ biéren.

> 对得起 Duì de qǐ: treat someone fairly, be worthy of
>
> 对不起 Duì bu qǐ: let down, be unfair to (someone); sorry, pardon me, excuse me.

1. ——对不起，我来晚了。

   ——Duì bu qǐ, wǒ lái wǎn le.

   ——没关系，不晚。

   ——Méi guānxi, bù wǎn.

2. ——你这么做，对得起我吗？

   ——Nǐ zhème zuò, duì de qǐ wǒ ma?

   ——对不起，是我错了。

   ——Duì bu qǐ, shì wǒ cuò le.

3. ——借我用一下可以吗？

   ——Jiè wǒ yòng yī xià kéyǐ ma?

   ——对不起，你说什么？

—Duì bu qǐ, nǐ shuō shénme?

了 Liǎo: Possible to accomplish, happen or finish.

1. 一斤包子我一个人怎么吃得了?

Yījīn bāozi wǒ yī ge rén zěnme chī de liǎo?

2. 八点你来得了吗?

Bā diǎn nǐ lái de liǎo ma?

3. 别担心,兔子跑不了。

Bié dānxīn, tùzi pǎo bu liǎo.

4. 晚会七点开始得了吗?

Wǎnhuì qī diǎn kāishǐ de liǎo ma?

5. 他迟到的毛病改不了了。

Tā chídào de máobìng gǎi bu liǎo le.

动 Dòng: To move.

1. 要是你拿不动,我帮你拿。

Yàoshi nǐ ná bu dòng, wǒ bāng nǐ ná.

2. 这么硬,你咬得动咬不动?

Zhème yìng, nǐ yǎo de dòng yǎo bu dòng?

3. 慢一点儿,我走不动了。

Màn yīdiǎnr, wǒ zǒu bu dòng le.

4. 车坏了,开不动了。

Chē huài le, kāi bu dòng le.

过 Guò: To surpass.

1. 好,我说不过你,我不说了。

Hǎo, wǒ shuō bu guò nǐ, wǒ bù shuō le.

2. 酒量我比不过你,饭量你比不过我。

Jiǔliàng wǒ bǐ bu guò nǐ, fánliàng nǐ bǐ bu guò wǒ.

3. 打不过就跑。

　　Dǎ bu guò jiù pǎo.

4. 喝酒我可喝不过她。

　　Hē jiǔ wǒ kě hē bu guò tā.

5. 再大也大不过天安门广场。

　　Zài dà yě dà bu guò Tiān'ānmén Guǎngchǎng.

练　习
Exercise

一、回答问题或正确应对（用上结果补语）：

Answer the following questions or respond using a complement of result：

1) 你在北京住了多长时间？住得惯吗？

　　Nǐ zài Běijīng zhù le duō cháng shíjiān? Zhù de guàn ma?

2) 在北京吃得到吃不到你们的家乡饭？

　　Zài Běijīng chī de dào chī bu dào nǐmen de jiāxiāng fàn?

3) 你每天几点起来？如果再早一个小时呢？

　　Nǐ měitiān jǐ diǎn qǐlai? Rúguǒ zài zǎo yī ge xiǎoshí ne?

4) 这个柜子放在哪儿？

　　Zhè ge guìzi fàng zài nǎr?

5) 哎呀！你踩了我的脚！

　　Āiyà! Nǐ cǎi le wǒ de jiǎo!

6) 他为什么总是扬着头跟别人说话？

　　Tā wèi shénme zǒngshì yáng zhe tóu gēn biéren shuōhuà?

7) 你昨天去买书了吗？怎么样？

　　Nǐ zuótiān qù mǎi shū le ma? Zěnmeyàng?

8) 快刹车！为什么不停下？

Kuài shāchē! Wèishénme bù tíngxià?

9) 吃！吃！多吃点儿！别客气！

Chī! Chī! Duō chī diǎnr! Bié kèqi!

10) 你一个人去拿行吗？重不重？要不要我帮忙？

Nǐ yī ge rén qù ná xíng ma? Zhòng bu zhòng? Yào bu yào wǒ bāngmáng?

二、选择正确答案(有几个选几个)：

Multiple choice（There may be more than one correct choice）：

1. 你一个小时写得_____吗？

Nǐ yī ge xiǎoshí xiě de _____ ma?

A. 完 wán   B. 了 liǎo   C. 好 hǎo   D. 上 shàng

2. 狗闻_____香味就跑来了。

Gǒu wén _____ xiāngwèi jiù pǎo lái le.

A. 完 wán   B. 到 dào   C. 见 jiàn   D. 好 hǎo

3. 女儿大了，留不_____了，早晚得嫁人。

Nǚér dà le, liú bu _____ le, zǎowǎn děi jiàrén.

A. 了 liǎo   B. 下 xià   C. 住 zhù   D. 动 dòng

4. 小姑娘找不_____妈妈了，大声哭了起来。

Xiǎo gūniang zhǎo bu _____ māma le, dàshēng kū le qǐlái.

A. 到 dào   B. 在 zài   C. 着 zháo   D. 住 zhù

5. 他这个人特别直，总是想_____什么就说什么。

Tā zhè ge rén tèbié zhí, zǒngshì xiǎng _____ shénme jiù shuō shénme.

A. 住 zhù   B. 到 dào   C. 完 wán   D. 好 hǎo

6. 我不能跟你们一起去旅游了，工作太忙，走不_____。

Wǒ bù néng gēn nǐmen yìqǐ qù lǚyóu le, gōngzuò tài máng, zǒu

101

bu _____.

    A. 动 dòng   B. 开 kāi   C. 起 qǐ   D. 好 hǎo

7. 别给我了，我吃不 _____ 了。

    Bié gěi wǒ le, wǒ chī·bu _____ le.

    A. 住 zhù   B. 下 xià   C. 了 liǎo   D. 好 hǎo

8. 他是我们单位最高的，谁也高不 _____ 他。

    Tā shì wǒmen dānwèi zuì gāo de, shuí yě gāo bu _____ tā.

    A. 了 liǎo   B. 上 shàng   C. 到 dào   D. 过 guò

9. 你把钱还 _____ 她了吗？

    Nǐ bǎ qián huán _____ tā le ma?

    A. 过 guò   B. 给 gěi   C. 到 dào   D. 在 zài

10. 这钱请您收 _____，只是一点点心意。

    Zhè qián qǐng nín shōu _____, zhǐshì yī diǎndiǎn xīnyì.

    A. 完 wán   B. 下 xià   C. 住 zhù   D. 好 hǎo

三、填空（填上适当的结果补语的完成形式或可能形式，注意应为肯定形式还是否定形式）：

Fill in the blanks with an appropriate completed or potential form of the complement of result. Choose an affirmative or negative form, as fits the situation:

例：本来想去泰山看日出的，(想)没想到在峨眉山上看到了日出。

Example: Běnlái xiǎng qù Tàishān kàn rìchū de , (xiǎng) méi xiǎng dào zài Éméishān shàng kàndào le rìchū.

1) _____（学）中文的人不是天才就是傻瓜。

    _____（xué）Zhōngwén de rén bù shì tiāncái jiù shì shǎguā.

2) 如果今天（做）_____作业我就不去了，去了也（玩）_____
_____。

Rúguǒ jīntiān(zuò)＿＿＿＿＿zuòyè wǒ jiù bù qù le, qù le yě
(wán)＿＿＿＿＿

3）看来他今天(来)＿＿＿＿＿了，咱们自己把剩下的(做)＿＿＿＿
吧。

Kàn lái tā jīntiān (lái)＿＿＿＿＿le, zánmen zìjǐ bǎ shèngxià
de (zuò)＿＿＿＿＿ba

4）(留)＿＿＿＿＿他的人，(留)＿＿＿＿＿他的心。

(liú)＿＿＿＿＿tā de rén, (liú)＿＿＿＿＿tā de xīn.

5）(跑)＿＿＿＿＿和尚，(跑)＿＿＿＿＿庙。

(pǎo)＿＿＿＿＿héshang, (pǎo)＿＿＿＿＿miào.

四、改错：

Correct the errors in the following sentences：

1）你一个小时写得了吗？

Nǐ yī ge xiǎoshí xiě de liǎo ma?

2）买了这么多饺子，你一个人吃完吗？

Mǎile zhème duō jiǎozi, nǐ yī ge rén chī wán ma?

3）警察把小偷抓好了。

Jǐngchá bǎ xiǎotōu zhuā hǎo le.

4）——一个人不拿动吧？我帮你拿吧。

Yī ge rén bù ná dòng ba? Wǒ bāng nǐ ná ba.

—不用了，谢谢，我拿动。

Bù yòng le, xièxiè, wǒ ná dòng

5）——衣服洗得干净吗？

—Yīfu xǐ de gānjìng ma?

—看，已经洗得干净了。

—kàn, yǐjīng xǐ de gānjìng le.

（二）趋向补语

Complement of direction

（1）汉语里，有一类补语表示动作的趋向，这类补语叫趋向补语。可分为简单趋向补语和复合趋向补语。

A directional complement indicates the direction of the action. There are two subtypes: simple and compound.

简单趋向补语：

Simple directional complement：

> 动词 + 来/去
> Verb + "lái"/"qù"

复合趋向补语：

Compound Directional Complement

> 动词 + 上（下/进/出/回/过/起）+ 来/去
> Verb + "shàng"（"xià"/"jìn"/"chū"/"huí"/"guò"/"qǐ"）"lái"/"qù"

另外复合趋向补语还有引申用法。

Some compound directional complements have an extended (i.e., figurative) meaning.

趋向补语也有"完成形式"和"可能形式"。

Like all the complements, directional complements have both completed and potential forms.

（2）简单趋向补语。

Simple directional complement

1)

> 动作性动词 + 来/去
> Verb of action + "lai"/"qu"

这一类动词的补语只有完成形式,没有可能形式。

Verbs of this type have only the completed form. but not the potential form.

1. 看,他跑来了。

Kàn, tā pǎoláile.

2. 燕子飞来了,又飞去了,又一年过去了。

Yànzi fēilái le, yòu fēiqù le, yòu yī nián guòqù le.

3. 他走来走去,一边抽烟,一边想问题。

Tā zǒulái zǒuqù, yībiān chōuyān, yībiān xiǎng wèntí.

4. 孩子在地上爬来爬去。

Háizi zài dìshang pálái páqù.

偏误:Error:

他跑得来吗?

Tā pǎode lái ma?

2)

> 移动性动词 + 来/去
> Verb of displacement + "lái"/"qù"

With verbs expressing movement of the subject or object from one place to another.

	完成形式 Complete form	可能形式 Potential form
肯定式 Affirmative form	动词 + 来/去/进去 Verb + "lai"/"qu"	动词 + 得 + 来/去 Verb + "de" + "lai"/"qu"
	进去 jìnqù 拿来 nálái 过去 guòqù	进得去 jìn de qù 拿得来 ná de lái 过得去 guò de qù
否定式 Negative form	不/没 + 动词 + 来/去 "Bù"/"méi" + verb + "lái"/"qù"	动词 + 不 + 来/去 Verb + "bu" + "lái"/"qù"
	不/没进去 bù/méi jìnqù 不/没拿来 bù/méi nálái 不/没过去 bù/méi guòqù	进不去 jìn bu qù 拿不来 ná bu lái 过不去 guò bu qù

1. —演出已经开始了,你怎么还没进去?

Yǎnchū yǐjīng kāishǐ le, nǐ zěnme hái méi jìnqù?

—进不去了,已经满了。

Jìn bu qù le, yǐjīng mǎn le.

—跟我走后门吧，肯定进得去。

Gēn wǒ zǒu hòumén ba, kěndìng jìn de qù.

2．—对不起，你的书我今天没带来。

Duìbuqǐ, nǐ de shū wǒ jīntiān méi dàilái.

—那就明天带来吧。

Nà jiù míngtiān dàilái ba.

—明天也带不来

Míngtiān yě dài bu lái

—那什么时候带得来？

Nà shénme shíhou dài de lái?

—什么时候也带不来，因为我把它丢了。

Shénme shíhou yě dài bu lái, yīnwei wǒ bǎ tā diū le.

3）"来"和"去"不表示动作的实际趋向，而是由说话人的位置决定的，如果动作是朝向说话人的就用"来"，如果动作是朝向相反方向进行的就用"去"。

In first-person narration, whether to use "lái" or "qù" in the directional complement is determined in relation to the position of the person who is speaking, that is, "lái" indicates the direction proceeds toward the speaker, while "qù" indicates the action proceeds away from the speaker.

1．小王已经回家去了。（说话人不在小王家）

Xiǎo Wáng yǐjīng huí jiā qù le. (The speaker is not at Xiǎo Wáng's home.)

2．他不在家，他六点钟以前回不来。（说话人在家里）

Tā bù zà jiā, tā liù diǎn zhōng yǐqián huí bu lái. (The speaker is at home.)

3．到北京以后写封信来。（说话人是收信人）

Dào Béijīng yǐhòu xiě fēng xìn lái. (The speaker is the re-

107

ceiver.）

4．我想给我儿子写封信去。（说话人是寄信人）

Wǒ xiǎng gěi wǒ érzi xiě fēng xìn qù.（The speaker is the sender.）

5．快去吧，代表团已经出来了。（说话人在屋外）

Kuài qù ba, dàibiǎotuán yǐjīng chūlái le.（The speaker is outside the room.）

6．你来啦，快进来。（说话人在屋里）

Nǐ lái la, kuài jìnlái.（The speaker is inside of the room.）

7．人这么多，进得去吗？（说话人在屋外）

Rén zhème duō, jìn de qù ma?（The speaker is outside of the room.）

8．人太多了，我不进去了。（说话人在屋外）

Rén tài duō le, wǒ bù jìnqù le.（The speaker is outside of the room.）

9．电梯坏了，老太太上得去吗？（说话人在楼下）

Diàntī huài le, lǎo tàitài shàng de qù ma?（The speaker is downstairs.）

10．她上不来就让她儿子背她上来（说话人在楼上）

Tā shàng bu lái jiù ràng tā érzi bēi tā shànglái.（The speaker is upstairs.）

（3）复合趋向补语。

Compound directional complement.

上来 shànglái "ascend - come" = come up towards the speaker

下来 xiàlái "descend - come" = come down towards the speaker

进来 jìnlái "enter - come" = come in towards the speaker

108

出来 chūlái "exit – come" = come out towards the speaker

起来 qǐlái "rise – come" = rise, come up toward the speaker

回来 huílái "return – come" = come back towards the speaker

过来 guòlái "cross – come" = come over towards the speaker

上去 xiàqù "ascend – go" = go up away from the speaker

进去 jìnqù "enter – go" = go in away from the speaker

出去 chūqù "exit – go" = go out away from the speaker

回去 huíqù "return – go" = go back away from the speaker

过去 guòqù "cross – go" = go over away from the speaker

	完成形式 Complete form	可能形式 Potential form
肯定形式 Affirmative form	动词 + 上，下，进，出，回，过，起 + 来/去 Verb + "shàng", "xià", "jìn", "chū", "huí", "guò", "qǐ" + "lái"/"qù"	动词 + 得 + 上，下，进，出，回，过，起 + 来/去 Verb + "de" + "shàng", "xià", "jìn", "chū", "huí", "guò", "qǐ" + "lái"/"qù"
	跑过来 pǎo guòlái 拿出去 ná chūqù 跳起来 tiào qǐlái	跑得过来 páo de guòlái 拿得出去 ná de chūqù 跳得起来 tiào de qǐlái

否定形式
Negative
form

不/没 + 动词 + 上，下，进，出，回，过，起 + 来/去 "Bù"/"méi" + Verb + "shàng", "xià", "jìn", "chū", "huí", "guò", "qǐ" + "lái"/"qù"	动词 + 不 + 上，下，进，出，回，过，起 + 来/去 Verb + "bù" + "shàng", "xià", "jìn", "chū", "huí", "guò", "qǐ" + "lái"/"qù"
跑不过来 pǎo bu guòlái	不/没跑过来 bù/méi pǎo guòlái
拿不出来 ná bu chūlái	不/没拿出来 bù/méi ná chūlái
跳不起来 tiào bu qǐlái	不/没跳起来 bù/méi tiào qǐlái

1. 一机票还没取回来吗？

   Jīpiào hái méi qǔ huílái ma?

   一今天可能取不回来了。

   Jīntiān kěnéng qǔ bù huílái le

   一不取回来明天怎么走？

   Bù qǔ huílái míngtiān zěnme zǒu?

2. 他一听就站起来了。

   Tā yī tīng jiù zhàn qǐlái le.

3. 他还没站起来就已经说起来了

   Tā hái méi zhàn qǐlái jiù yǐjīng shuō qǐlái le.

4. 坐的时间一长就站不起来了。

   Zuò de shíjiān yī cháng jiù zhàn bu qǐlái le.

5. 一请把这个戒指拿出来给我看看。

   Qǐng bǎ zhè ge jièzhǐ ná chūlái gěi wǒ kànkan.

6. 一你可以戴上去试试。

Nǐ kěyǐ dài shàngqù shìshi.

7.—哎呀,拿不下来了。

Āiyā,ná bu xiàlái le.

8.—对不起,那您只能买了。

Duìbuqǐ,nà nín zhǐnéng mǎi le.

(4) 带趋向补语的动词后面可带宾语。

A verb with a directional complement can take an object.

A. 在完成式中,宾语如是表示处所的词,要放在"来/去"之前;

In the completed form, the object of location should be placed before "lái" or "qù".

1. 天黑了,快回家去。

Tiān hēi le,kuài huí jiā qù.

2. 你为什么不上楼来?

Nǐ wèishéme bù shànglóu lái?

3. 到我那儿吃饭去吧。

Dào wǒ nàr chīfàn qù ba.

4. 他很长时间没有回中国来。

Tā hěn cháng shíjiān méiyǒu huí Zhōngguó lái.

B. 宾语如是表示人或事物的词,可放在"来/去"之前,也可放在"来/去"之后。

If the object is a person or thing(not a place), it can be placed either before or after "lái"and "qù".

1. 老王买来了西瓜。

Lǎo Wáng mǎilái le xīguā.

2. 老王买西瓜来了。

Lǎo Wáng mǎi xīguā lái le.

3. 他带孩子来了。

Tā dài háizi lái le.

4．他带来了孩子。

Tā dàilái le háizi.

5．她给你送了一本书去。

Tā gěi nǐ sòng le yī běn shū qù.

6．她给你送去了一本书。

Tā gěi nǐ sòngqu le yī běn shū.

偏误：Errors：

＊我昨天很晚才回去学校。

Wǒ zuótiān hěn wǎn cái huíqù xuéxiào.

＊出来办公室以前，我穿上了衣服。

Chūlái bàngōngshì yǐqián，wǒ chuānshàng le yīfu.

（5）复合趋向补语的引申用法。

Extended meanings of the compound directional complement.

下来 1：由明到暗，由强到弱，由动到静等程序逐步变化。

Xiàlái 1：A gradual change from bright to dark，from strong to weak，from motion to stillness，etc.

1．天慢慢黑下来了。

Tiān mànmàn hēi xiàlái le.

2．车一进城就慢下来了。

Chē yī jìn chéng jiù màn xiàlái le.

3．雨停下来了。

Yǔ tíng xiàlái le.

下来 2：使事物停留或固定，以免消失或遗忘。

Xiàlái 2：Causing something to remain or to be fixed in place, as with things that might otherwise disappear or be forgotten.

1. 老师上课讲的语法你都记下来了吗？

   Lǎoshī shàngkè jiǎng de yǔfǎ nǐ dōu jì xiàlái le ma?

2. 这一课我背不下来。

   Zhè yī kè wǒ bèi bu xiàlái.

3. 请把你的地址写下来。

   Qǐng bǎ nǐ de dìzhǐ xiě xiàlái.

下去：已经开始的动作继续进行。

Xiàqù：The continuation of an action already started.

1. 已经开始了，就干下去吧。

   Yǐjīng kāishǐ le, jiù gàn xiàqù ba.

2. 故事一代代地传下去了。

   Gùshi yī dàidài chuán xiàqù le.

3. 唱下去，唱得不错。

   Cháng xiàqù, chàng de búcuò.

出来 1：产生了结果，从无到有。

Chūlái 1：Bringing something into existence.

1. 这张画，他想了一个多月才画出来。

   Zhè zhāng huà, tā xiǎng le yī ge duō yuè cái huà chūlái.

2. 有问题就说出来。

   Yǒu wèntí jiù shuō chūlái.

3. 十年不见,我已经叫不出他的名字来了。

Shí nián bù jiàn, wǒ yǐjing jiào bu chū tā de míngzi lái le.

出来 2: 识别、分辨事物,从无意义到有意义。

Chūlái 2: Distinguishing, telling things apart, or perceiving meaningful features.

1. 我看出来了,他画的是一只大象。

Wǒ kàn chūlái le, tā huà de shì yī zhī dàxiàng.

2. 这道题的错误检查出来了吗?

Zhè dào tí de cuòwù jiǎnchá chūlái le ma?

3. 从电话里听不出你的声音来。

Cóng diànhuà li tīng bu chū nǐ de shēngyīn lái.

起来 1: 进入一个新的状态,或新的动作开始进行,一般是由静态转变为动态

Qilai 1: Indicates entering a new condition or state, or the starting up of a new action. Usually indicates going from a static state to a dynamic state.

1. 天一亮,市场上就热闹起来了。

Tiān yī liàng, shìchǎng shang jiù rènao qǐlái le.

2. 他一开始表演,大家就鼓起掌来了。

Tā yī kāishǐ biǎoyǎn, dàjiā jiù gǔ qi zhǎng lái le.

3. 时间快到了,咱们快准备起来吧。

Shíjiān kuài dào le, zánmen kuài zhǔnbèi qǐlái ba.

起来 2：表示使人或事物从分散到集中的动作的完成。

Qǐlái 2：A change from being apart to being together, from
being loose to being closed in, or from diffuseness
to concentration.

1. 杀人犯被抓起来了。

Shārénfàn bèi zhuā qǐlái le.

2. 快把照片收起来。

Kuài bǎ zhàopiàn shōu qǐlái.

3. 小白兔都藏起来了。

Xiǎo báitù dōu cáng qǐlái le.

起来 3："(做)……的时候"，表示一种假设的情况。

Qǐlái 3：Expresses a hypothetical condition, something like
"when it comes to..." followed by another clause.

1. 说起你爷爷来，话可就长了。

Shuō qǐ nǐ yéye lái, huà kě jiù cháng le.

2. 他看起书来就忘了时间。

Tā kàn qǐ shū lái jiù wàng le shíjiān.

3. 这只笔用起来很方便。

Zhè zhī bǐ yòng qǐlái hěn fāngbiàn.

4. 说起来容易，做起来难。

Shuō qǐlái róngyì, zuò qǐlái nán.

练 习
Exercise

一、用完整的句子回答下列问题：

Answer the following questions with complete sentences：

1) 我要的字典你带来了没有？

Wǒ yào de zìdiǎn nǐ dàilái le méiyǒu?

2) 你给妈妈寄去了什么？

Nǐ gěi māma jìqù le shénme?

3) 这个月的《汉语学习》杂志，谁借走了？

Zhè ge yuè de《Hànyǔ Xuéxí》zázhì, shuí jièzǒu le?

4) 他这次去旅游，带照相机去了没有？

Tā zhè cì qù lǚyóu, dài zhàoxiàngjī qù le méiyǒu?

5) 这个词是什么意思，你想起来了没有？

Zhè ge cí shì shénme yìsi, nǐ xiǎng qǐlái le méiyǒu?

6) 你看见老师从教室出去了吗？

Nǐ kànjiàn lǎoshī cóng jiàoshì chūqù le ma?

7) 他们把车开进车库里去了吗？

Tāmen bǎ chē kāijìn chēkù li qù le ma?

8) 他从新疆旅行回来，给没给你带回来哈密瓜？

Tā cóng Xīnjiāng lǚxíng huílái, gěi méi gěi nǐ dài huílái Hāmìguā?

9) 我看完了这些报纸，要不要给你送回去？

Wǒ kànwán le zhèxiē bàozhǐ, yào bu yào gěi nǐ sòng huíqù?

10) 他跑上楼去了，你看他下来了没有？

Tā pǎoshàng lóu qù le, nǐ kàn tā xiàlái le méiyou?

二、下面的句子,对的请画"√",错的请画"×"。

Mark the correct sentences with "√", and the incorrect ones with "×".

1) 衣服干了,你收起来吧。

　　Yīfu gān le, nǐ shōu qǐlái ba.

2) 下个月二十号,他要回去上海。

　　Xià ge yuè èrshí hào, tā yào huíqù Shànghǎi.

3) 汽车上走一个人下来。

　　Qìchē shang zǒu yī ge rén xiàlái

4) 这些面包,你给孩子们送去吃吧!

　　Zhèxiē miànbāo, nǐ gěi háizimen sòngqu chī ba!

5) 你带护照来了没有?

　　Nǐ dài hùzhào lái le méiyǒu?

6) 那些纸被风刮走了。

　　Nàxiē zhǐ bèi fēng guāzǒu le?

7) 小王是不是回去家了?

　　Xiǎowáng shì bú shì huíqù jiā le?

8) 他们用了一个半小时爬上去香山。

　　Tāmen yòng le yī ge bàn xiǎoshí pá shàngqù Xiāngshān.

9) 服务员送过来一杯茶。

　　Fúwùyuán sòng guòlái yī bēi chá.

10) 前边儿走一位小姐来。

　　Qiánbianr zǒu yī wèi xiǎojie lái.

三、把括号中的趋向补语放到适当的位置:

Put the complement of direction in parentheses into the correct position:

1) 送＿＿＿＿家＿＿＿＿(回去)

sòng _____ jiā _____（huíqù）

2) 走 _____ 房间 _____（进来）

    zǒu _____ fángjiān _____（jìnlái）

3) 拿 _____ 钱 _____（来）

    ná _____ qián _____（lái）

4) 游 _____ 河 _____（过去）

    yóu _____ hé _____（guòqù）

5) 举 _____ 手 _____（起来）

    jǔ _____ shǒu _____（qǐlái）

6) 爬 _____ 山 _____（上）

    pá _____ shān _____（shàng）

7) 带 _____ 一封信 _____（去）

    dài _____ yī fēng xìn _____（qù）

8) 跑 _____ 山 _____（下去）

    pǎo _____ shān _____（xiàqù）

9) 掉 _____ 一个苹果 _____（下来）

    diào _____ yī ge píngguǒ _____（xiàlái）

10) 下 _____ 雨 _____（起来）

    xià _____ yǔ _____（qǐlái）

四、把下面的各组词连成带趋向补语的动宾词组：

Make sentences with a complement of direction, using the following phrases：

1) 回来   办公室

  huílái   bàngōngshì

2) 进去   客厅

  jìnqù   kètīng

3) 买回来   一本字典

	mǎi huílái	yī běn zìdiǎn
4)	走出去	教室
	zǒu chūqù	jiàoshì
5)	跑下去	楼
	pǎo xiàqù	lóu
6)	唱起来	歌
	chàng qǐlái	gē
7)	寄回去	一个包裹
	jì huíqù	yī ge bāoguǒ
8)	爬上去	山
	pá shàngqù	shān
9)	下起来	雨
	xià qǐlái	yǔ
10)	带去	一束鲜花
	dàiqù	yī shù xiān huā

（三）状态补语

Complement of state

状态补语是汉语中特有的语言现象。状态补语是用来评价，判断或描写"得"前动词，形容词或名词的。

The complement of state is a characteristically Chinese sentence structure. It is placed after the verb or adjective, plus the structural particle"de". It expresses an evaluation, judgment or description related to the verb, adjective, or noun preceding"de".

（1）基本结构：

Basic pattern：

> 动词(形容词) + 得 + 状态补语
> Verb(adjective) + "de" + complement of state

1. 唱得不错(形容词做状态补语)

   chàng de búcuò (adjective as complement of state)

2. 玩儿得真高兴(副词 + 形容词做状态补语)

   wánrde zhēn gāoxìng(adverbial + adjective as complement of state)

3. 激动得说不出话来(词组做状态补语)

   jīdòng de shuō bù chū huà lái(phrase as complement of state)

4. 妈妈说得他直哭。(小句做状态补语)

   Māma shuō de tā zhí kū. (sentence as complement of state)

5. 她把孩子打得头都破了。(小句做状态补语)

   Tā bǎ háizi dǎ de tóu dōu pò le. (sentence as complement of state)

也有少量不带"得"的形式(但多有"了"跟随其后):

In a small number of idiomatic cases, the complement of state appears without "de"(but in these cases "le" usually follows the complement).

1. 大极了(副词做状态补语)

   dà jí le

2. 差远了(副词做状态补语)

   chà yuǎn le

3. 这个比那个贵多了。(副词做状态补语)

   Zhè ge bǐ nà ge guì duō le.

2) 否定形式:

Negative form:

120

> 动词(形容词) + 得 + 不 + 状态补语
> Verb(adjective) + "de" + "bù" + complement of state

1. 唱得不太好
   chàng de bù tài hǎo

2. 玩儿得不高兴
   wánrde bù gāoxìng

3. 人认识得不多
   rén rènshi de bù duō

4. 差得不太远
   chà de bù tài yuǎn

（2）状态补语所要评价,判断或描写的是已经发生或正在发生的动作或事件。

The complement of state evaluates, judges or describes an action or event that has already taken place or is in the process of taking place.

1. 小王唱了一支歌,唱得不错。
   Xiǎo Wáng chàngle yī zhī gē, chàng de bùcuò.

2. 他们见面以后高兴得不得了。
   Tāmen jiànmiàn yǐhòu gāoxìng de bù dé liǎo.

3. 孩子们好久没有这么痛快地玩了,他们玩得真高兴。
   Háizimen hǎojiǔ méiyǒu zhème tòngkuai de wánr le, tāmen wánrde zhēn gāoxìng.

4. 运动员们谁也没说话,他们激动得说不出话来了。
   Yùndòngyuánmen shéi yě méi shuōhuà, tāmen jīdòng dě shuō bu chū huà lái le.

5. 妈妈说了他一顿,说得他直哭。
   Māma shuōle tā yī dùn, shuō de tā zhí kū.

(3) 宾语的位置

The position of the object

A. 带宾语的状态补语句应重复动词。

To use a complement of state in a sentence with a direct object, the verb is repeated, as in the following examples：

1. 他说汉语说得不错。

　　Tā shuō Hànyǔ shuō de bùcuò.

2. 小王一向吃东西吃得不多。

　　Xiǎo Wáng yīxiàng chī dōngxi chī de bù duō.

3. 大家听故事听得很入迷。

　　Dàjiā tīng gùshi tīng de hěn rùmí.

4. 他怕他妈妈怕得像老鼠见了猫。

　　Tā pà tā māma pà de xiàng lǎoshǔ jiànle māo.

B. 如果不重复动词，就要把宾语放在动词或主语前面。

If the verb is not repeated, the object must be placed before the subject or the verb.

汉语她说得不错。

Hànyǔ tā shuō de bùcuò.

小王一向东西吃得不多。

Xiǎo Wáng yīxiàng dōngxi chī de bù duō.

练　习
Exercise

一、用状态补语完成下面的句子：

Complete the sentences with a complement of state:

1) 我们每天都起得很_____。

　　Wǒmen měitiān dōu qǐ de hěn _____。

2）我朋友说英语说得_____。

　　Wǒ péngyou shuō Yīngyǔ shuō de _____。

3）他把房子打扫得_____。

　　Tā bǎ fángzi dǎsǎo de _____。

4）我妹妹唱歌唱得_____。

　　Wǒ mèimei chànggē chàng de _____。

5）今天，我们玩得_____。

　　Jīntiān, wǒmen wánrde _____。

6）这件衣服做得_____。

　　Zhè jiàn yīfu zuò de _____。

7）我的汉语水平比他差_____。

　　Wǒ de Hànyǔ shuǐpíng bǐ tā chà _____。

8）这儿的东西贵_____。

　　Zhèr de dōngxi guì _____。

9）他们高兴得_____。

　　Tāmen gāoxìng de _____。

10）听了他讲的故事，我们激动得_____。

　　Tīng le tā jiǎng de gùshi, wǒmen jīdòng de _____.

二、以下句子，对的画"✓"，错的画"×"：

Mark the correct sentences with "✓", the incorrect ones with "×":

1）他洗衣服洗得很干净。

　　Tā xǐ yīfu xǐ de hěn gānjìng。

2）他念得课文很流利。

　　Tā niàn de kèwén hěn liúlì。

3）这间屋子不打扫得干净。

Zhè jiān wūzǐ bù dǎsǎo de gānjìng。

4）花园里的花儿，开得真漂亮。

Huāyuán li de huār，kāi de zhēn piàoliang。

5）晚饭我吃得多，现在一点也不饿。

Wǎnfàn wǒ chī de duō，xiànzài yīdiǎnr yě bù è。

三、根据给的词语，造带状态补语的句子：

Make sentences with a complement of state, using the following phrases:

例：他游泳　　　　非常好

他游泳游得非常好。

Example: Tā yóuyǒng　　fēicháng hǎo

Tā yóuyǒng yóu de fēicháng hǎo。

1）他很高兴　　　　　　　　跳起来了。

　　Tā hěn gāoxìng　　　　　tiào qǐlái le

2）阿姨收拾房间　　　　　　房间很干净

　　Āyí shōushi fángjiān　　 fángjiān hěn gānjìng

3）我朋友跑步　　　　　　　比别人都快

　　Wǒ péngyou pǎobù　　　 bǐ biéren dōu kuài

4）这些练习太难　　　　　　谁都不会做

　　Zhè xiē liànxí tài nán　　 shuí dōu bù huì zuò

5）他很难过　　　　　　　　他流下了眼泪

　　Tā hěn nánguò　　　　　 tā liúxià le yǎnlèi

四、读下面的短文,把可能用状态补语表达的地方替换成状态补语:

Read the following passage, wherever possible replacing parts with a complement of state:

昨天是四月二十日,但天气很热,像夏天一样。我去朋友家看了他新买的房子。这套房子又大又亮,很漂亮。玻璃擦过了,干干净净;家具放在房间里,整整齐齐。我朋友说,为了收拾房间,他用了差不多两个星期的时间,没有找人帮助。收拾完,他非常累,连饭也不想吃,只想睡觉。现在,有了这么舒适的家,他非常高兴。我也很高兴,因为以后我们可以在他漂亮的新房子里聚会了。

Zuótiān shì sì yuè èrshí rì, dàn tiānqì hěn rè, xiàng xiàtiān yīyàng. Wǒ qù péngyou jiā kànle tā xīn mǎi de fángzi. Zhè tào fángzi yòu dà yòu liàng, hěn piàoliang. Bōli cāguole, gāngānjìngjìng, jiājùfàngzài fángjiān li, zhěngzhěngqíqí. Wǒ péngyou shuō, wèile shōushi fángjiān, tā yòngle chàbuduō liǎng ge xīngqī de shíjiān, méiyǒu zhǎo rén bāngzhù. Shōushi wán, tā fēicháng lèi, lián fàn yě bù xiǎng chī, zhǐ xiǎng shuìjiào. Xiànzài, yǒule zhème shūshì de jiā, tā fēicháng gāoxìng. Wǒ yě hěn gāoxìng, yīnwèi yǐhòu wǒmen kěyǐ zài tā piàoliang de xīn fángzi li jùhuì le.

125

七 "是……的"结构

Chapter 7   THE "SHI……DE" STRUCTURE

"是……的"是一种句子结构,分为三大类。第一:强调或说明句中某种成分。第二:表示语气。第三:表示被动语态。

"Shi……de" is a sentence structure with three uses: The first use is used to emphasize or specify an element of the sentence; the second is to express a particular tone; the third is passive voice.

(一)强调或说明句中某种成分的"是……的"

The use of the "shi……de" structure to emphasize or specify an element of a sentence

(1)强调或说明句中的状语,被强调或说明的是已完成动作发生的时间、地点、方式、目的以及对象等

To emphasize or specify the adverbial of the sentence : the time, place, manner, purpose, target, etc. of a completed action.

> 主语＋是＋状语＋动词＋的
> Subject＋"shi"＋adverbial＋verb＋"de"

1. 他是去年秋天来的。

   Tā shì qùnián qiūtiān lái de.

2. 他是从法国来的。

Tā shì cóng Fǎguó lái de.

3. 他是坐飞机来的。

Tā shì zuò fēijī lái de.

4. 这本书是为你买的。

Zhè běn shū shì wèi nǐ mǎi de.

5. 我是对他说的,不是对你说的。

Wǒ shì duì tā shuō de, bù shì duì nǐ shuō de.

注意:Notes:

(1) 如果句中动词后的宾语是名词,"的"可在名词前,也可放在名词后。

If the object after the verb in the sentence is a noun, "de" can be placed either before or after the noun.

1. 我是去年来的北京。

Wǒ shì qùnián lái de Běijīng.

2. 我是去年来北京的。

Wǒ shì qùnián lái Běijīng de.

(2) 如果句中动词后的宾语是代词,"的"放在代词后。

If the object after the verb in the sentence is a pronoun, "de" is placed after the pronoun.

我是上星期看见他的。

Wǒ shì shàngxīngqī kànjiàn tā de.

(3) 如果句中动词后有趋向补语"来"或"去"时,"的"放在趋向补语后面。

When the complement of direction "lái" or "qù" follows a verb in a sentence, "de" is placed after the complement of direction.

1. 他是今天早上回大使馆来的。

Tā shì jīntiān zǎoshàng huí dàshǐguǎn lái de.

2. 她和孩子是上个星期到欧洲去的。

127

Tā hé háizi shì shàng ge xīngqī dào Ōuzhōu qù de.

3. 他是前天写来的信。

Tā shì qiántiān xiělái de xìn.

4. 他是刚打来的电话。

Tā shì gāng dǎlái de diànhuà.

(2) 强调或说明动作完成的施事者

To emphasize or specify the agent of completed action.

> 主语 + 是 + 主谓短语 + 的
> Subject + "shi" + subject - predicate phrase + "de"

1. 这封信是谁写的？

Zhè fēng xìn shì shuí xiě de?

2. 昨天晚上大门是他锁的。

Zuótiān wǎnshàng dàmén shì tā suǒ de.

3. 这个代表团是校长请来的。

Zhè ge dàibiǎotuán shì xiàozhǎng qǐnglái de.

另一种表达方式为：

Another form is:

> 是 + 主语 + 动词 + 的 + 宾语
> "Shi" + Subject + Verb + "de" + object

1. 是谁写的这封信？

Shì shuí xiě de zhè fēng xìn?

2. 昨天晚上是他锁的大门。

Zuó tiān wǎnshàng shì tā suǒ de dàmén.

3. 是校长请来的这个代表团。

Shì xiàozhǎng qǐng lái de zhè ge dàibiǎotuán.

（二）强调或说明动作结果的原因

To emphasize or specify the cause of the result of an action

主语（或主谓短语）＋是＋动词＋的

Subject（or subject － predicate phrase）＋ "shi" ＋ verb ＋ "de"

1．他胃痛是饿的。

Tā wèi tòng shì è de.

2．这衣服小了是洗的。

Zhè yīfu xiǎo le shì xǐ de.

3．他的腿破了是摔的。

Tā de tuǐ pò le shì shuāi de.

注意：Notes：

如果动词后有宾语，要重复动词再加"的"。

When an object follows the verb, the verb should be reduplicated and followed by "de".

他嗓子疼是唱歌唱的。

Tā sǎngzi téng shì chànggē chàng de.

他身体好是爬山爬的。

Tā shēntǐ hǎo shì páshān pá de.

你牙疼是吃糖吃的。

Nǐ yá téng shì chī táng chī de.

（三）表示语气的"是……的"结构

The use of "shi……de" structure to express a particular tone

说话人在叙述、解释或说明某一事物的同时，要表达自己肯定、确认或缓和、委婉的语气时，可以用"是——的"结构。

When the speaker states a view or explains something, the structure "shi—de" can be used to express a tone of affirmation or of moderation.

> **1.** 主语＋是＋动词(形容词)＋的
> Subject＋"shi"＋Verb/adj.＋"de"

1. 时间是有(的),但不能浪费。
   Shíjiān shì yǒu(de),dàn bù néng làngfèi.
2. 他们去是可以(的),可孩子怎么办?
   Tāmen qù shì kěyǐ(de),kě háizi zěnme bàn?
3. 生活是苦(的),可一家人很和睦。
   Shēnghuó shì kǔ(de),kě yī jiā rén hěn hémù.

注意:Note:
此类句型后跟有表示转折意义的句子。

This kind of sentence is usually followed by a sentence with a shift in meaning.

> **2.** 主语＋是＋能愿动词＋动词＋的
> Subject＋"shi"＋auxiliary verb＋verb＋"de"

1. 他是可以帮助我的,就是没有时间。
   Tā shì kěyǐ bāngzhù wǒ de,jiù shì méiyǒu shíjiān.
2. 赛车伤亡事件是可能发生的,但还是有很多人参加。
   Sàichē shāngwáng shìjiàn shì kěnéng fāshēng de, dàn háishì yǒu hěn duō rén cānjiā.
3. 她是愿意来中国的,只是没有机会。
   Tā shì yuànyì lái Zhōngguó de,zhǐshì méiyǒu jīhuì.

注意：Note：

此类句型后常跟有表示转折意义的句子。

This kind of sentence is usually followed by a sentence with a shift in meaning.

> **3.** 主语＋是＋动词＋结果补语(或趋向补语)可能式＋的
> Subject ＋ "shi" ＋ verb ＋ potential form of complement
> of result or potential form of complement of direction
> ＋ "de"

1. 牌子上的字是看得清楚的。

   Páizi shàng de zì shì kàn de qīngchu de.

2. 外面的噪音这儿是听不见的。

   Wàimian de zàoyīn zhèr shì tīng bu jiàn de.

3. 从这儿是上得去的。

   Cóng zhèr shì shàng de qù de.

4. 门太小,这张床是搬不进来的。

   Mén tài xiǎo, zhè zhāng chuáng shì bān bu jìn lái de.

> **4.** 主语＋是＋能愿动词＋结果补语(或趋向补语)可能式＋的
> Subject ＋ "shi" ＋ modal verb ＋ potential form of com-
> plement of result (or potential form of complement of
> direction) ＋ "de"

1. 这个问题是能解决得好的。

   Zhè ge wèntí shì néng jiějué de hǎo de.

2. 这个菜一个人是能吃得完的。

   Zhè ge cài yī ge rén shì néng chī de wán de.

3. 虽然路不宽,汽车是开得过去的。

   Suīrán lù bù kuān, qìchē shì kāi de guòqù de.

4. 两个小时是肯定能回得来的。

Liǎng ge xiǎoshí shì kěndìng néng huí de lái de.

5. 宾语 + 主语 + 是 + 谓语 + 的

Object + Subject + "shi" + predicate + "de"

1. 这个规定学生们是知道的。

Zhè ge guīdìng xuéshēngmen shì zhīdào de.

2. 那条新路他们是认识的。

Nà tiáo xīn lù tāmen shì rènshi de.

3. 那些工艺品我们是很喜欢的。

Nàxiē gōngyìpǐn wǒmen shì hěn xǐhuan de.

注意:Notes:

此类句子强调的是句中的宾语,如果强调句中的动词部分可以用下面的句子。

This kind of sentence emphasizes the object. To emphasize the verb, use the following pattern.

主语 + 是 + 动词 + 宾语 + 的

Subject + "shi" + verb + object + "de"

1. 学生们是知道这个规定的。

Xuéshēngmen shì zhīdào zhè ge guīdìng de.

2. 他们是认识那条路的。

Tāmen shì rènshi nà tiáo lù de.

3. 我们是很喜欢那些工艺品的。

Wǒmen shì hěn xǐhuan nàxiē gōngyìpǐn de.

（四）表示被动态"是……的"结构
The use of "shi……de" structure to express the passive voice

> 受事主语 + 是 + 施事者(或时间或地点) + 动词 + 的
> Subject(receiver of the action) + "shi" + Object(doer of the action or time or place) + verb + "de"

1．讲话稿是张翻译起草的。

    Jiǎng huàgǎo shì zhāng fānyi qǐcǎo de.

2．照片是女王五十岁生日时照的。

    Zhàopiàn shì nǚwáng wǔshí suì shēngri shí zhào de.

3．这幅画是在艺术博览会上买的。

    Zhè fú huà shì zài yìshù bólǎnhuì shàng mǎi de.

4．那个病人的手术是谁做的？

    Nàge bìngrén de shǒushù shì shuí zuò de?

注意：Notes：

（1）主语是受事的"是……的"结构是表达被动意义的一种形式，其表达重点在动词前的成分上。

The "shi……de" structure with its subject as the receiver of the action is one form of the passive voice. This kind of sentence emphasizes the elements before the verb.

（2）句子为中性，无褒贬意义。

The sentences are neutral, making neither commendatory nor pejorative remarks.

（3）被动意味不强。

The passive meaning in this kind of sentence is not strong.

练　习
Exercise

一、读下列句子：

Read the following：

1. 我们是在颐和园照的相。

   Wǒmen shì zài Yíhéyuán zhào de xiàng.

2. 他是骑自行车去的十三陵。

   Tā shì qí zìxíngchē qù de shísānlíng.

3. 我们是在圣诞节见到他的。

   Wǒmen shì zài shèngdànjié jiàndào tā de.

4. 我不是一个人去的香港，姐姐一直和我在一起。

   Wǒ bùshì yīge rén qù de Xiānggǎng, jiějie yīzhí hé wǒ zài yīqǐ.

5. 这事是谁干的？一定要查清楚。

   Zhèshì shì shuí gàn de? Yídìng yào chá qīngchu.

6. 是董事长讲的这话，不信，你可以问。

   Shì dǒngshìzhǎng jiǎng de zhè huà, bùxìn, nǐ kěyǐ wèn.

7. 这病是感冒引起的。

   Zhè bìng shì gǎnmào yǐnqǐ de.

8. 从天安门到这儿一个小时是回不来的。

   Cóng Tiānānmén dào zhèr yīge xiǎoshí shì huí bu lái de.

二、回答下列问题：

Answer the following questions：

1. 你是什么时候来北京的？

   Nǐ shì shénme shíhou lái Běijīng de?

2. 你是坐飞机来的,还是坐火车来的?

　　Nǐ shì zuò fēijī lái de, háishì zuò huǒchē lái de?

3. 你是从哪儿来北京的?

　　Nǐ shì cóng nǎr lái Běijīng de?

4. 你是来看谁的?

　　Nǐ shì lái kàn shuí de?

5. 这些书你是为谁买的?

　　Zhè xiē shū nǐ shì wèi shuí mǎi de?

6. 你的牙痛是怎么引起的?

　　Nǐ de yáténg shì zěnme yǐnqǐ de?

7. 这些花是怎么掉的?

　　Zhè xiē huā shì zěnme diào de?

8. 你是怎么帮助他的?

　　Nǐ shì zěnme bāngzhù tā de?

9. 那些啤酒是谁喝的?

　　Nàxiē píjiǔ shì shuí hē de?

10. 是谁写的那篇文章?

　　Shì shuí xiě de nà piān wénzhāng?

三、用"是……的"结构,重写下列错句:

Rewrite the following wrong sentences using the construction "shi……de":

1. 我去年十一月来北京。

　　Wǒ qùnián shíyī yuè lái Běijīng.

2. 我去上海从西雅图。

　　Wǒ qù Shànghǎi cóng Xīyǎtú.

3. 他去昆明坐火车。

　　Tā qù Kūnmíng zuò huǒchē.

4. 我买蛋糕为你。

　　Wǒ mǎi dàngāo wèi nǐ.

5. 这封信大家写。

　　Zhè fēng xìn dàjiā xiě.

6. 衣服小了因为洗。

　　Yīfu xiǎo le yīnwèi xǐ.

7. 我看见他去年。

　　Wǒ kànjiàn tā qùnián.

8. 他们到美国去上星期。

　　Tāmen dào Měiguó qù shàng xīngqī.

四、比较句子：

Compare the following：

1. 厂长请来了参观团。

　　Chǎngzhǎng qǐng lái le cānguāntuán.

　　参观团是厂长请来的。

　　Cānguāntuán shì chǎngzhǎng qǐng lái de.

2. 我发了那个传真。

　　Wǒ fā le nà ge chuánzhēn.

　　那个传真是我发的。

　　Nà ge chuánzhēn shì wǒ fā de.

3. 他练武术身体好。

　　Tā liàn wǔshù shēntǐ hǎo.

　　他身体好是练武术练的。

　　Tā shēntǐ hǎo shì liàn wǔshù liàn de.

4. 他愿意帮忙。

　　Tā yuànyì bāngmáng.

　　忙他是愿意帮的,但他没有钱。

Máng tā shì yuànyì bāng de, dàn tā méiyǒu qián.

5. 我能看见黑板上的字。

Wǒ néng kànjiàn hēibǎn shàng de zì.

黑板上的字是看得见的。

Hēibǎn shàng de zì shì kàn de jiàn de.

6. 这些菜两个人吃不完。

Zhèxiē cài liǎng ge rén chī bu wán.

这些菜两个人是吃不完的。

Zhèxiē cài liǎng ge rén shì chī bu wán de.

7. 我们很喜欢那些国画。

Wǒmen hěn xǐhuan nàxiē guóhuā.

那些国画我们是很喜欢的。

Nàxiē guóhuà wǒmen shì hěn xǐhuan de.

八 表示比较的方法

Chapter 8   EXPRESSING COMPARISON

在汉语中,表示比较的方法可分为以下三类:

The ways of expressing comparisons in Chinese can be divided into the follwing three types:

(一) 表示差异 (不同)

Expressing difference (dissimilarity)

(1) 表示差异用"比"字结构

The "bǐ" construction can be used to indicate a difference.

> A 比 B + 形容词
> A "bǐ" B + adjective

1. 我比他高。

   Wǒ bǐ tā gāo.

2. 上海比北京热。

   Shànghǎi bǐ Běijīng rè.

3. 这本书比那本书贵。

   Zhè běn shū bǐ nà běn shū guì.

> A 比 B + 更 (还) + 形容词/动词
> A "bǐ" B + "gèng" ("hai") + adjective / verb

1. 这个城市比那个城市更古老。

   Zhè gè chéngshì bǐ nà gè chéngshì gèng gǔlǎo.

2. 阿拉伯文比中文还难。

   Ālābó wén bǐ Zhōngwén hái nán.

3. 他比我更喜欢音乐。

   Tā bǐ wǒ gèng xǐhuan yīnyuè.

4. 王先生比我还了解中国。

   Wáng xiānsheng bǐ wǒ hái liǎojiě Zhōngguó.

注意：形容词(或动词)前不能加"很"，"非常"，"真"，"最"。

Note: In this case, words such as "hěn", "fēicháng", "zhēn", and "zuì" cannot be added before the adjective or verb.

偏误：**Error:**

* 北京比天津很大。

   Běijīng bǐ Tiānjīn hěn dà.

* 泰国比中国真热。

   Tàiguó bǐ Zhōngguó zhēn rè.

* 这张画比那张画非常漂亮。

   Zhè zhāng huà bǐ nà zhāng huà fēicháng piàoliang.

* 写汉字比写英文最难。

   Xiě hànzì bǐ xiě Yīngwén zuì nán.

A 比 B + 形容词 + 数量词 / (得多，一点儿，一些)

**A "bǐ" B + adjective + numerals and measure words /
("de duō", "yīdiǎnr", "yīxiē")**

---

1. 她家比我家远一点儿。

   Tā jiā bǐ wǒ jiā yuǎn yīdiǎnr.

2. 这本书比那本书便宜一些。

Zhè běn shū bǐ nà běn shū piányi yīxiē.

3. 我姐姐比我大三岁。

Wǒ jiějie bǐ wǒ dà sān suì.

4. 这个月比上个月少一天。

Zhè ge yuè bǐ shàng ge yuè shǎo yī tiān.

5. 我的办公室比他的(办公室)小得多。

Wǒ de bàngōngshì bǐ tā de (bàngōngshì) xiǎo de duō.

A 比 B + 形容词 + 动词 + 数量词 /(得多,一点儿)
A "bǐ" B + adjective + verb + numerals and measure words / ("deduō", "yī diǎnr")

---

1. 今天他比我早到十分钟。

Jīntiān tā bǐ wǒ zǎo dào shí fēnzhōng.

2. 为什么你比他晚来半小时?

Wèi shénme nǐ bǐ tā wǎn lái bàn xiǎoshí?

3. 你比他多学了一年(汉语)。

Nǐ bǐ tā duō xué le yī nián (Hànyǔ).

4. 这课的生词比那课难记得多。

Zhè kè de shēngcí bǐ nà kè nán jì de duō.

5. 我觉得英文比法文容易学一点儿。

Wǒ juéde Yīngwén bǐ Fǎwén róngyì xué yīdiǎnr.

A + 动词 + 得 + 比 B + 形容词/(形容词 + 得多/一点儿)
A + verb + "de" + "bǐ" B + adjective/(adjective + "de duō" / "yīdiǎnr")

---

1. 他跑得比我快。

Tā pǎo de bǐ wǒ kuài.

2. 妈妈走得比我慢得多。

　　Māma zǒu de bǐ wǒ màn de duō.

3. 大使来得比我早一点儿。

　　Dàshǐ lái de bǐ wǒ zǎo yīdiǎnr.

注意：Notes:

1）在以上句子中，"比B"也可以放在动词前。

In the above sentences, "bǐ B" also can be placed before the verb.

1. 他比我跑得快。

　　Tā bǐ wǒ pǎo de kuài.

2. 妈妈比我走得慢得多。

　　Māma bǐ wǒ zǒu de màn de duō.

3. 大使比我来得早一点儿。

　　Dàshǐ bǐ wǒ lái de zǎo yīdiǎnr.

2）动词如果带宾语时，应该重复动词。

If the verb has an object, the verb should be reduplicated.

1. 他写汉字写得比我漂亮。

　　Tā xiě Hànzì xiě de bǐ wǒ piàoliang.

2. 他说中国话说得比我流利。

　　Tā shuō zhōngguó huà shuō de bǐ wǒ liúlì.

3. 他复习课文复习得比我认真。

　　Tā fùxí kèwén fùxí de bǐ wǒ rènzhēn.

```
A 比 B + 能愿动词 + 动词 + (多了)
A "bǐ" B + modal verb + verb + "duō le"
```

1. 弟弟比爸爸会下棋。

　　Dìdi bǐ bàba huì xià qí.

2. 她姐姐比她愿意帮助人。

Tā jiějie bǐ tā yuànyì bāngzhù rén.

3. 他比别人更想出国学习。

Tā bǐ bié rén gèng xiǎng chū guó xuéxí.

4. 老人比年轻人更应该注意身体。

Lǎorén bǐ niánqīng rén gèng yīnggāi zhùyì shēntǐ.

5. 王平比我们能挣钱多了。

Wángpíng bǐ wǒmen néng zhèng qián duō le.

主语 + A 比 B(作为状语) + 形容词／动词
Subject + A "bǐ" B (as adverbial) + adjective / verb

---

1. 我们这个星期比上个星期忙。

Wǒmén zhè ge xīngqī bǐ shàng gè xīngqī máng.

2. 他在学校比在家愉快。

Tā zài xuéxiào bǐ zài jiā yúkuài.

3. 他的身体现在比过去结实多了。

Tā de shēntǐ xiànzài bǐ guòqù jiēshi duō le.

4. 我喝了水比不喝水还渴。

Wǒ hē le shuǐ bǐ bù hē shuǐ hái kě.

5. 他画的画儿一张比一张好看。

Tā huà de huàr yī zhāng bǐ yī zhāng hǎo kàn.

6. 天气一天比一天冷。

Tiānqì yī tiān bǐ yī tiān lěng.

7. 孩子一年比一年高了。

Háizi yī nián bǐ yī nián gāo le.

(2)"比"字结构的否定形式是以"没有"取代"比"字

The negative form of the "bǐ" structure is to replace "bǐ" with "méiyǒu".

142

> **A 没有 B+ 形容词／动词**
> **A "méiyǒu" B+ adjective／verb**

1. 我哥哥没有我高。

   Wǒ gēge méiyǒu wǒ gāo.

2. 他跑得没有我快。

   Tā pǎo de méiyǒu wǒ kuài.

3. 我没有我姐姐会唱歌。

   Wǒ méiyǒu wǒ jiějie huì chàng gē.

4. 谁也没有你这么爱吹牛！

   Shuí yě méiyǒu nǐ zhème ài chuīniú!

(3) 有时候，也可以在"比"前加否定词"不"，这时，句子的意思要由它所处的语言环境决定。

Sometimes, the negative word "bù" also can be put in front of "bǐ", but the meaning of the sentence will depend on the context.

> **A 不 比 B……**
> **A "bu bǐ" B ……**

A. 两者差不多

Both A and B are similar.

1. 哥哥不比弟弟高。

   Gēge bù bǐ dìdi gāo.

2. 杭州不比上海热。

   Hángzhōu bù bǐ Shànghǎi rè.

3. 他不比我多知道多少。

   Tā bù bǐ wǒ duō zhīdào duōshǎo.

143

B. 前者不如后者

The former is not so... （good, high , fast...) as the latter.

1. 母亲现在的身体不比从前了。

Mǔqīn xiànzài de shēntǐ bù bǐ cóngqián le.

2. 这里很好,可总不比自己的家乡。

Zhèli hěn hǎo, kě zǒng bù bǐ zìjǐ de jiāxiāng.

C. 表示两者一样,它后面常跟有"也不比……"

A and B are the same, but they often followed by "yě bù bǐ".

1. 今天他来得不比我早,也不比我晚,我们同时到学校。

Jīntiān tā lái de bù bǐ wǒ zǎo, yě bù bǐ wǒ wǎn, wǒmen tóngshí dào xuéxiào.

2. 今年冬天不比去年冷,也不比去年暖和。

Jīnnián dōngtiān bù bǐ qùnián lěng, yě bù bǐ qùnián nuǎnhe.

（二）表示相同和相似

Expressing sameness and similarity

（1）用"跟……一样"表示相同

Expressing sameness by using "gēn……yīyàng"

A 跟 B 一样

A gēn B yīyàng

1. 我的字典跟你的(字典)一样。

Wǒ de zìdiǎn gēn nǐ de (zìdiǎn) yīyàng.

2. 这个孩子跟她妈妈一样。

Zhè gè háizǐ gēn tā mama yīyàng.

3. 去你家跟去他家一样。

144

Qù nǐ jiā gēn qù tā jiā yīyàng.

否定式：Negative：

> **A 跟 B 不一样**
> **A "gēn" B bù "yīyàng"**

1. 南方的城市跟北方的（城市）不一样。

   Nánfāng de chéngshì gēn běifāng de (chéngshì) bù yīyàng.

2. 用筷子吃饭跟用刀叉吃饭不一样。

   Yòng kuàizi chī fàn gēn yòng dāochā chī fàn bù yīyàng.

3. 他跟别的西方人不一样。

   Tā gēn biéde xīfāng rén bù yīyàng.

有时候，"不"也可以放在"跟"前边。"不"否定的是"跟 B 一样"，这种句子的意思没有完，后边还有其他的句子。

Sometimes, "bù" can also be put before "gēn". In this case, the "bù" negates "gēn B yíyàng", so the meaning of the sentence is not complete and other sentences should follow.

> **A 不跟 B 一样，A 跟 C 一样。**
> **A "bu gēn" B "yiyāng", A "gēn" C yīyàng.**

1. 他吃饭的习惯不跟西方人一样，而跟中国人一样。

   Tā chī fàn de xíguàn bù gēn xīfāng rén yīyàng, ér gēn Zhōngguó rén yīyàng.

2. 他不跟你一样，他跟我们一样，都是学生。

   Tā bù gēn nǐ yīyàng, tā gēn wǒmen yīyàng, dōu shì xuésheng.

> A 跟 B + 很(真,非常,都) + 不一样
> A "gēn" B + "hěn" (zhēn, fēicháng, dōu) + "/"bù yiyàng"

1. 他的想法跟你的很不一样。

   Tā de xiǎngfǎ gēn nǐ de hěn bù yīyàng.

2. 她们两个人是姐妹,可是性格非常不一样。

   Tāmén liǎng gè rén shì jiěmèi, kěshì xìnggé fēicháng bù yīyàng.

3. 这些桌子跟那些(桌子)都不一样。(完全不同)

   Zhèxiē zhuōzi gēn nàxiē (zhuōzi) dōu bù yīyàng. (completely different)

4. 这些桌子跟那些桌子不都一样。(部分不同)

   Zhèxiē zhuōzi gēn nàxiē (zhuōzi) bù dōu yīyàng. (some part may be similar)

> A 跟 B 一样 + 形容词 / 动词
> A "gēn" B "yīyàng" + adjective / verb

1. 鸡跟鸭一样好吃。

   Jī gēn yā yīyàng hǎo chī.

2. 今年,这孩子跟爸爸一样高了。

   Jīnnián, zhè háizǐ gēn bāba yīyàng gāo le.

3. 他夫人跟他一样喜欢游泳。

   Tā fūrén gēn tā yīyàng xǐhuān yóuyǒng.

4. 橘子跟苹果一样有营养。

   Júzi gēn píngguǒ yīyàng yǒu yíngyǎng.

5. 她跟她妹妹一样让人喜欢。

   Tā gēn tā mèimei yīyàng ràng rén xǐhuan.

6. 她长得跟她母亲一样漂亮。

Tā zhǎng de gēn tā mǔqīn yīyàng piàoliàng.

> **A 跟 B 相同**
> **A "gēn" B "xiāngtóng"**

1. 这件毛衣跟那件毛衣的颜色相同。

Zhè jiàn máoyī gēn nà jiàn máoyī de yánsè xiāngtóng.

2. 他们两个人的想法相同，但是做法不同。

Tāmen liǎng gè rén de xiǎngfǎ xiāngtóng, dànshì zuòfǎ bù tóng.

偏误：Error：

* 我跟他相同高。

Wǒ gēn tā xiāngtóng gāo.

否定式：Negative：

> **A 跟 B 不同**
> **A "gēn" B "bù tóng"**

1. 这两个字声调不同。

Zhè liǎng gè zì shēngdiào bù tóng.

2. 北京人跟上海人的生活习惯不同。

Běijīng rén gēn Shànghǎi rén de shēnghuó xíguàn bù tóng.

(2) 用"像"表示相似

Expressing similarity with "xiàng"

> **A 像 B**
> **A "xiàng" B**

1. 他很像他爸爸。

147

Tā hěn xiàng tā bàba.

2. 他像一个大老板。

Tā xiàng yī gè dà lǎobǎn.

否定式：Negative：

> **A 不像 B**
>
> **A "bù xiàng B"**

1. 他不像四十岁的人。

Tā bú xiàng sìshí suì de rén.

2. 他不像南方人。

Tā bú xiàng nánfāng rén.

> **A 像 B 那么(这么) + 名词／动词**
>
> **A "xiàng" B "nàme"／"zhème" + noun/verb**

1. 今年夏天，北京像广州那么热。

Jīnnián xiàtiān, Běijīng xiàng Guǎngzhōu nàme rè.

2. 你像他这么写就对了。

Nǐ xiàng tā zhème xiě jiù duì le.

否定式：Negative：

> **A 不像 B 那么(这么) + 名词／动词**
>
> **A "bùxiàng" B "nàme"／"zhème" + noun/verb**

1. 那本小说不像这本小说这么有意思。

Nà běi xiǎoshuō bù xiàng zhè běn xiǎoshuō zhème yǒu yìsi.

2. 我不像你那么喜欢吃甜的。

Wǒ bù xiàng nǐ nàme xǐhuan chī tián de.

> **A 跟 B 差不多 / A 跟 B 相似**
> **A "gēn" B "chà bù duō" / A "gēn" B "xiāngsì"**

1. 他买的大衣跟你的差不多。

   Tā mǎi de dàyī gēn nǐ de chà bu duō.

2. 王平的样子跟李立的样子相似，我常常分不清楚。

   Wáng Píng de yàngzi gēn Lǐ Lì de yàngzi xiāngsì, wǒ chángcháng fēn bù qīngchu.

(3) 用"有"表示相似

Expressing similarity with "yǒu"

> **A 有 B + 形容词 / 动词**
> **A "yǒu" B + adjective/verb**

1. —你的房间有我的大吗？

   Nǐ de fángjiān yǒu wǒ de dà ma?

   —有你的房间大。

   Yǒu nǐ de fángjiān dà.

2. —现在你弟弟有你高吗？

   Xiànzài nǐ dìdi yǒu nǐ gāo ma?

   —有（我高）了。

   Yǒu (wǒ gāo) le.

注意：这种形式常用于疑问句及其答句。

Note：This form is often used in a question and its answer.

> **2. A 有 B 那么(这么) + 形容词 / 动词**
> **A "yǒu" B "nàme" / "zhème" + adjective/verb**

这个城市有北京那么大。

Zhè gè chéngshì yǒu Běijīng nàme dà.

那棵树有两层楼<u>这么</u>高。

Nà kē shù yǒu liǎng céng lóu zhème gāo.

练 习
Exercise

一、回答问题：

Answer the following questions：

1．上海的夏天比北京热吗？

　Shànghǎi de xiàtiān bǐ Běijīng rè ma?

2．在北京，牛肉比猪肉贵吗？

　Zài běijīng, niúròu bǐ zhūròu guì ma?

3．你看，这个灯比那个更亮吗？

　Nǐ kàn, zhège dēng bǐ nèige gèng liàng ma?

4．你比你表妹大几个月？

　Nǐ bǐ nǐ biǎomèi dà jǐge yuè?

5．小王昨天晚上睡得比我们晚吗？

　Xiǎowáng zuótiān wǎnshàng shuì de bǐ wǒmen wǎn ma?

6．这条裤子比那条长多少？

　Zhè tiáo kùzi bǐ nà tiáo cháng duōshao?

7．这三个人都一样高吗？

　Zhè sān ge rén dōu yīyàng gāo ma?

8．你的房间有我的房间凉快吗？

　Nǐde fángjiān yǒu wǒde fángjiān liángkuài ma?

9．她丈夫比她更会做菜吗？

　Tā zhàngfu bǐ tā gèng huì zuòcài ma?

10．你说，是不是法文比英文难学？

Nǐ shuō, shì bu shì Fǎwén bǐ Yīngwén nán xué?

二、请把下面的句子翻译成英文：

Translate the following sentences into English：

1．他的书比我的书多一点儿。

Tāde shū bǐ wǒde shū duō yīdiǎnr。

2．孩子比大人更应该注意卫生。

Háizi bǐ dàrén gèng yīnggāi zhùyì wèishēng。

3．北京的人口比三年前多多了。

Běijīng de rénkǒu bǐ sān nián qián duō duō le。

4．这儿的树一棵比一棵粗。

Zhèr de shù yī kē bǐ yī kē cū。

5．我可没有你那么聪明。

Wǒ kě méiyǒu nǐ nàme cōngmíng。

6．谁也没有他那么喜欢游泳。

Shuí yě méiyǒu tā nàme xǐhuān yóuyǒng。

7．你看，这个孩子的脸，像不像一个大苹果？

Nǐ kàn, zhè gè háizi de liǎn, xiàng bu xiàng yī ge dà píngguǒ？

8．几件衣服样子都不一样，你喜欢哪一件？

Zhè jǐ jiàn yīfu yàngzi dōu bù yīyàng, nǐ xǐhuān nǎ yī jiàn？

9．从这儿走和从那儿，远近差不多，用的时间也差不多。

Cóng zhèr zǒu hé cóng nàr zǒu, yuǎn jìn chà bu duō, yòng de shíjiān yě chà bu duō。

10．我哥哥比我还马虎。

Wǒ gēge bǐ wǒ hái mǎhu。

三、用"没有","跟……一样(……不一样)","像(不像)"完成句子：

Complete following sentences with "méiyǒu", "gēn……yīyáng(……bù yīyáng)" or "xiàng(bùxiàng)".

1. 火车_____坐飞机快。

Zuò huǒchē _____ zuò fēijī kuài.

2. 从这儿到我家_____从这儿到他家_____远。

Cóng zhèr dào wǒ jiā _____ cóng zhèr dào tā jiā _____ yuǎn.

3. 今年北京_____南方城市_____热。

Jīnnián Běijīng _____ nánfāng chéngshì _____ rè.

4. 这座楼_____那座楼_____漂亮。

Zhè zuò lóu _____ nà zuò lóu _____ piàoliang.

5. 他_____他的父亲。

Tā _____ tāde fùqin.

6. 这套房子_____那套房子_____，也没有阳台。

Zhè tào fángzi _____ nà tào fángzi _____, yě méiyǒu yángtái.

7. 我说中国话_____他流利。

Wǒ shuō Zhōngguóhuà _____ tā liúlì.

8. 谁说这本书_____那本书_____。

Shuí shuō zhè běn shū _____ nà běn shū _____.

9. 中国人_____西方人_____，中国人吃饭用筷子。

Zhōngguó rén _____ xīfāng rén _____, Zhōngguó rén chīfàn yòng kuàizi.

10. 我很_____我哥哥，我们都很胖。

Wǒ hěn _____ wǒ gēge, wǒmen dōu hěn pàng.

四、请把下面的句子改成比较句：

Change the following sentences to the comparative form:

1. 我爸爸五十二岁，我妈妈五十岁。

   Wǒ bàba wǔshí èr suì, wǒ mama wǔshí suì.

2. 这张桌子长，那张桌子短。

   Zhè zhāng zhuōzi cháng, nà zhāng zhuōzi duǎn.

3. 你这样的字典，我也想买一本。

   Nǐ zhèyàng de zìdiǎn, wǒ yě xiǎng mǎi yī běn.

4. 我的这件衣服贵，他的那件衣服也贵。

   Wǒ de zhè jiàn yīfu guì, tā de nà jiàn yīfu yě guì.

5. 法文语法难，意大利文语法也难。

   Fǎwén yǔfǎ nán, Yìdàlìwén yǔfǎ yě nán.

6. 我爱游泳，我的朋友也喜欢游泳。

   Wǒ ài yóuyǒng, wǒde péngyou yě ài yóuyǒng.

7. 去年我去了一次长城，今年我去了两次长城。

   Qùnián wǒ qù le yī cì Chángchéng, jīnnián wǒ qù le liǎng cì
   Chángchéng.

8. 这些椅子是白色的，那些椅子是绿色的。

   Zhèxiē yǐzi shì báisè de, nàxiē yǐzi shì lǜsè de.

9. 我姐姐唱歌好，我妹妹唱歌也好。

   Wǒ jiějie chànggē hǎo, wǒ mèimei chànggē yě hǎo.

10. 今年春天北方下雨多，南方下雨少。

    Jīnnián chūntiān běifāng xià yǔ duō, nánfāng xià yǔ shǎo.

九 表示被动的方法

Chapter 9 THE PASSIVE VOICE

主语为受事的句子叫被动句。可分为两大类:无标志被动句和有标志被动句。

A sentence whose subject is the receiver of the action is called a passive sentence. There are two kinds of passive sentences: unmarked and marked.

(一) 无标志被动句

Unmarked passive sentence

这类句子里没有表示被动意义的"被"类字,所以也叫"意义上的被动句",这是汉语的特点之一。

This type of sentence has no special marker words to indicate the passive voice (such as "bèi"), but is nevertheless notionally passive (passive in meaning). There are far more notionally passive sentences in Chinese than those with passive markers. This is one of the special features of the Chinese language.

主语(受事) + 动词(带有被动意义) + 其他成分
Subject (receiver of the action) + Verb (passive in meaning) + other elements

---

例：Examples：

1. 问题解决了。

   Wèntí jiějué le.

2. 那辆车已经修好了。

   Nà liàng chē yǐjīng xiūhǎo le.

3. 大使馆的地毯用旧了。

   Dàshǐguǎn de dìtǎn yòng jiù le.

4. 大使托办的事肯定办得成。

   Dàshǐ tuōbàn de shì kěndìng bàn de chéng.

5. 您的护照带来了吗？

   Nín de hùzhào dàilái le ma?

6. 签证取回来了。

   Qiānzhèng qǔ huílái le.

7. 那篇文章写得很好。

   Nà piān wénzhāng xiě de hěn hǎo.

8. 这些图片都贴在展览大厅的墙壁上。

   Zhèxiē túpiàn dōu tiē zài zhǎnlǎn dàtīng de qiángbì shang.

9. 事情的经过描写得很细致。

   Shìqing de jīngguò miáoxiě de hěn xìzhì.

注意：Notes：

（1）主语是确指的人或物。

The subject is a specific person or thing.

（2）句子属中性，描述的是主语的受动情况，无褒贬之意。

The sentences are neutral in tone, imply no judgment (either positive or negative), but are simply a straightforward statement regarding the action received by the subject.

（3）受事主语与动词的语序不得改变。

The word order of the subject and the verb cannot be inverted.

155

（二）由"被"字表示的被动句
Sentences with the passive marker "bèi"

> 主语"受事" + 被 + 宾语(施事) + 动词 + 其他
> Subject（receiver of the action）+ "bèi" + object
> （doer of the action）+ verb + other elements

例：Examples：

1. 参赞先生被邀请参加这次旅游活动。

   Cānzàn xiānsheng bèi yāoqǐng cānjiā zhècì de lǚyóu huódòng.

2. 他被通知去机场接代表团。

   Tā bèi tōngzhī qù jīchǎng jiē dàibiǎotuán.

3. 那个故事渐渐地被忘了。

   Nà ge gùshi jiànjiàn de bèi wàng le.

4. 桌上的地图被(风)刮乱了。

   Zhuō shang de dìtú bèi（fēng）guāluàn le.

5. 使馆的那辆汽车被(卡车)撞坏了

   Shǐguǎn de nà liàng qìchē bèi（kǎchē）zhuànghuài le.

6. 办公室的人民日报被小王拿走了。

   Bàngōngshì de Rénmínrìbào bèi Xiǎo Wáng ná zǒu le.

7. 他的手被玻璃划破了。

   Tā de shǒu bèi bōli huápò le.

注意：Notes：

（1）用"被"时，施事者可出现，也可不出现。一般来说，当主语是确指时，常省略施事者（例：1，2，3）

In sentences with the passive marker "bèi", the doer may or may not appear. Generally speaking, when the subject is specific, the doer of the action is often omitted.(Examples 1,2,3)

(2) 这类句子(多用于书面语)被动意味较强,有时带有不如意的色彩。

Sentences with the passive marker "bèi" are often used in written or formal style, and sometimes refer to unpleasant or unwanted situations.

(3) 有些句子(如例 1,2),如不用"被"字,主语和动词的施事关系就发生了变化。

In some sentences of this type, without the word "bèi", the meaning of the sentence would change, and the subject would become the doer (e.g, Examples 1 and 2).

句子如有否定副词和能愿动词,要放在"被"字前边。

A negative adverb or auxiliary verb must be placed before the "bèi".

主语(受事) + 否定副词/能愿动词 + 被 + 宾语(施事) + 其他
Subject(receiver of the action) + negative adverb/auxiliary verb + "bèi" + object(doer of the action) + other elements

---

例:Examples

1. 银行没有被盗。

   Yínháng méiyǒu bèi dào.

2. 那个工人违反纪律,可能被开除了。

   Nà ge gōngrén wéifǎn jìlǜ, kěnéng bèi kāichú le.

3. 由于经营不良,那两家工厂将被停产整顿。

   Yóuyú jīngyíng bù liáng, nà liǎng jiā gōngchǎng jiāng bèi tíngchǎn zhěngdùn.

4. 那扇窗户可能被风吹开了。

Nà shàn chuānghu kěnéng bèi fēng chuī kāi le.

（三）由"叫""让"或"给"表示的被动句
Sentences with the passive markers "ràng" "jiào" or "gěi"

> 语（受事）＋ 叫（让，给）＋ 宾语（施事）＋ 动词 ＋ 其他
> Subject（receiver of the action）＋ jiào（ràng/gěi）＋ object
> （doer ofthe action） ＋ verb＋other elements

例：Examples：

1. 复印机叫人修好了。

   Fùyìnjī jiào rén xiū hǎo le.

2. 他的自行车让张师傅骑走了。

   Tā de zìxíngchē ràng Zhāng shīfu qí zǒu le.

3. 那些不用的旧家具叫工人搬出去了。

   Nàxiē bù yòng de jiù jiājù jiào gōngrén bān chūqù le.

4. 招待会上的酒叫人喝光了。

   Zhāodàihuì shang de jiǔ jiào rén hēguāng le.

5. 花房里的花给搬去布置客厅了。

   Huāfáng li de huā gěi bān qù bùzhì kètīng le.

注意：Notes：

（1）此类被动句多用于口语，它与"被"字句一样，表达的是情况的完成或结果，句末常伴有"了"。

Sentences with passive markers "jiào", "ràng" or "gěi" often occur in spoken Chinese, and indicate the completion or the result of the action. The aspect particle "le" is often used at the end of such sentences.

（2）由"叫""让"表示的被动句,施事者不能省略。

The doer of the action cannot be omitted from passive sentences with "jiào" or "ràng".

（3）由"给"表示的被动句,"给"可直接用于谓语动词前。

In passive sentences with "gěi", "gěi" can be placed directly in front of the verb.

（四）由"遭""挨""受"等动词表示的被动句

Sentences with the passive marker "zāo" "ái" or "shòu"

> 主语(受事) + 遭(挨,受) + 宾语(施事) + 动词
> Subject (receiver of the action) + "zāo"("ái"/"shòu") +
> object (doer of the action) + verb

1. 去年这个地区遭了严重的水灾。

   Qùnián zhège dìqū zāo le yánzhòng de shuǐzāi.

2. 他挨了批评。

   Tā ái le pīpíng.

3. 这个孩子常受别人欺负。

   Zhège háizi cháng shòu biéren qīfu.

4. 代表团在机场受到了热烈的欢迎。

   Dàibiǎotuán zài jīchǎng shòudào le rèliè de huānyíng.

注意:此类句子表达的多为不愉快的,不希望出现的事情。但带有"受"字的句子有时例外。

Note:Sentences with "zāo", "ái", or "shòu" quite often convey unpleasant or unwanted events ("shòu", however, can be used in many positive contexts).

（五）由"被……所……"，"为……所……"表示的被动句

Sentences with passive marker "bèi……suǒ……" "wéi……suǒ ……"

这类句式多用于书面语，这里只作简单介绍。

Sentences with the passive markers "bèi……suǒ……" and "wéi……suǒ……" often occur in written Chinese.

主语(受事) + 被/为 + 宾语(施事) + 所 + 动词

Subject (receiver of the action) + "bèi"/"wéi" + object (doer of the action) + "suǒ" + Verb

---

1. 他的作品为大家所熟悉。

   Tā de zuòpǐn wéi dàjiā suǒ shúxī.

2. 周恩来是一位为中国人民所爱戴的伟大领袖。

   Zhōu Enlái shì yī wèi wéi Zhōngguórénmín suǒ àidài de wěidà lǐngxiù.

（六）"被"字句和"由"字句的区别

The differences between sentences with "bèi" and sentences with "yóu".

例:Examples:

1. 大家的行李由小王照管。

   Dàjiā de xínglǐ yóu Xiǎo Wáng zhàoguǎn.

2. 你是内行,这事由你决定吧。

   Nǐ shì nèiháng, zhè shì yóu nǐ juédìng ba.

注意:从形式上看,"由"字句和"被"字句很相似,且译成英文等语种时,常把"由"字句变为被动句。然而,这两种句式的意思是

有区别的:"被"字句所表达的是主语受动于施事者。而上述两例"由"引出施事者,意即"某事归谁做,做的事责任在于谁",无被动意。

Note: Sentences with "bèi" and sentences with "yóu" are similar in form. When translated into English and other languages, a sentence with "yóu" is often changed into the passive voice. But the meaning of the two sentence patterns is different: a sentence with "bèi" expresses that the subject of the sentence is the receiver of the action, while the preposition "yóu" indicates the doer, and there is no passive meaning to the sentence.

比较下列各组句子:

Compare the following:

1. 今天的会议由王老师主持。

Jīntiān de huìyì yóu Wáng lǎoshī zhǔchí.

由王老师主持今天的会议。

Yóu Wáng lǎoshī zhǔchí jīntiān de huìyì.

2. 小李被(大伙)说服了。

Xiǎo Lǐ bèi (dà huǒ) shuōfú le.

＊被大伙说服小李了。

＊Bèi dàhuǒ shuōfú Xiǎo Lǐ le.

3. 这副对联被(我)写坏了。

Zhè fù duìlián bèi (wǒ) xiě huài le.

＊这副对联由我写坏了。

＊Zhè fù duìlián yóu wǒ xiě huài le.

4. 这个问题由你来回答吧。

Zhè ge wèntí yóu nǐ lái huídá ba.

＊这个问题被你来回答吧。

＊Zhè ge wèntí bèi nǐ lái huídá ba.

注意:Notes:

(1)"由"字句里宾语可在动词后,也可提到"由"字前。(例1,2)"被"字句的受事主语只能在句首,不得改变位置。(例3,4)

The object of a sentence with "yóu" can be placed after or before the verb (e. g. , 1 and 2). The subject (the receiver of the action) in a sentence with "bèi" can only be placed at the beginning of the sentence. The word order cannot be changed (e. g. , 3 and 4).

(2)"被"字句动词后可带结果补语,并常带"了"(例3,4),"由"字句若带"了",则不自然。

The verb can have a complement of result in a sentence with "bèi"; often, the complement ends with "le"(e. g. , 3 and 4). However, to use "le" in a sentence with "yóu" would sound unnatural.

(3)"被"字句可省略施事者,"由"字句不能。

The doer of the action in a sentence with "bèi" can be omitted, but it cannot be omitted in a sentence with "yóu".

(4)"由"字句有时用于祈使句,"被"字句则不能。

A sentence with "yóu" can be imperative, but a sentence with "bèi" cannot.

此外,"由"有时有"从"的意思,如"由北京至巴黎","由此及彼",有时还用于引出构成事物的成分,方式,原因等。"被"不能这样用。

In addition to indicating the doer of the action, "yóu" can also mean "from". For example, "yóu Běijīng zhì Bālí"("from Běijīng to Paris"); "yóu cǐ jí bǐ"("from this [think of] that.") It can also introduce the composition, way, or reason, but "bèi" cannot.

例：Examples：

1. 这次的访日代表团由 12 人组成。

   Zhè cì de fǎngrì dàibiǎotuán yóu 12 rén zǔchéng.

2. 他的病可能是由感冒引起的。

   Tā de bìng kěnéng shì yóu gǎnmào yǐnqǐ de.

3. 学习上的进步与提高是由不自满开始的。

   Xuéxí shang de jìnbù yǔ tígāo shì yóu bù zìmǎn kāishǐ de.

练　习
Exercise

一、比较句子：

Compare the following：

1. 经理让司机老王去取机票了。

   Jīnglǐ ràng sījī Lǎo Wáng qù qǔ jīpiào le.

   经理让人请去吃饭了。

   Jīnglǐ ràng rén qǐng qù chīfàn le.

2. 那种字典卖完了。

   Nàzhǒng zìdiǎn mài wán le.

   他把那本字典卖完了。

   Tā bǎ nà běn zìdiǎn mài wán le.

3. 他被派到英国去了。

   Tā bèi pài dào Yīngguó qù le.

   公司派他去英国了。

   Gōngsī pài tā qù Yīngguó le.

4. 他让人请去喝茶了

   Tā ràng rén qǐng qù hē chá le.

   他让我去喝茶。

   Tā ràng wǒ qù hē chá.

Tā ràng wǒ qù hē chá.

5. 电脑安好了。

Diànnǎo ān hǎo le.

老板叫我安电脑。

Lǎobǎn jiào wǒ ān diànnǎo.

二、改主动句为被动句：

Change the following into passive sentences：

1. 王医生治好了他的病。

Wáng yīshēng zhì hǎo le tā de bìng.

2. 玛丽把自行车丢了。

Mǎlì bǎ zìxíngchē diū le.

3. 他们把酒都喝了。

Tāmen bǎ jiǔ dōu hē le.

4. 我从图书馆借来了很多书。

Wǒ cóng túshūguǎn jiè lái le hěn duō shū.

5. 星期六我们洗完了衣服。

Xīngqīliù wǒmen xǐ wán le yīfu.

6. 格林先生借走了录音机。

Gélín xiānsheng jiè zǒu le lùyīnjī.

7. 那张报纸看完了。

Nà zhāng bàozhǐ kànwán le.

8. 他把杯子里的水喝了。

Tā bǎ bēizi li de shuǐ hē le.

三、改被动句为主动句：

Change the following into active sentences：

1. 数字题做完了。

Shùzìtí zuò wán le .

2. 那篇发言稿写得很好。

　　Nà piān fāyángǎo xiě de hěn hǎo .

3. 高秘书让人请去做报告了。

　　Gāomìshu ràng rén qǐng qù zuò bàogào le .

4. 那几本书不知让谁拿去了。

　　Nà jǐ běn shū bù zhī ràng shuí ná qù le .

5. 大使先生被邀请参加了这次活动。

　　Dàshǐ xiānsheng bèi yāoqǐng cānjiā le zhè cì huódòng.

6. 那家商店没有被盗。

　　Nà jiā shāngdiàn méiyou bèidào.

7. 电脑不能用，没修好。

　　Diànnǎo bù néng yòng, méi xiū hǎo.

8. 情人节那天花都叫人买走了。

　　Qíngrénjié nàtiān huā dōu jiào rén mǎi zǒu le.

9. 冰箱里的蛋糕被人吃了，酒也被人喝了。

　　Bīngxiāng li de dàngāo bèi rén chī le, jiǔ yě bèi rén hē le.

10. 中国京剧团在欧洲受到了热烈欢迎。

　　Zhōngguó Jīngjùtuán zài Ōuzhōu shòudào le rèliè huānyíng.

四、分析下列句子哪些是被动句，哪些不是？

Analyze the following sentences and tell which are passive and which are not：

1. 这事由大家讨论决定。

　　Zhè shì yóu dàjiā tǎolùn juédìng.

2. 那篇文章由我来写。

　　Nà piān wénzhāng yóu wǒ lái xiě.

3. 今天的会由总经理主持。

Jīntiān de huì yóu zǒngjīnglǐ zhǔchí.

4. 她是一位受人尊敬的母亲。

Tā shì yī wèi shòu rén zūnjìng de mǔqin.

5. 参观团由七人组成。

Cānguāntuán yóu qī rén zǔchéng.

6. 墙上的地图掉了。

Qiángshang de dìtú diào le.

7. 问题回答完了。

Wèntí huídá wán le.

8. 小李的腿摔伤了。

Xiǎo Lǐ de tuǐ shuāishāng le.

十 "把"字句

Chapter 10 "BA" SENTENCE

（一）"把"字句是汉语的一种特殊句式。它的基本形式是：

The "bǎ" sentence is a special pattern. Its basic form is as follows:

> 主语 + 把 + 直接宾语 + 动词 + 其他成分
> Subject + "bǎ" + direct object + verb + other elements

例：Examples：

1. 我把衣服洗了。

   Wǒ bǎ yīfu xǐ le.

2. 他把电视修理好了。

   Tā bǎ diànshì xiūlǐ hǎo le.

从结构上讲，"把"字本身没有意义，它的作用只是引导宾语提前。从语义上讲，绝大部分"把"字句的语义重点是动词所表示的动作使宾语产生了或将要产生什么样的结果或变化。

From a structural point of view, "bǎ" functions only to move the object before the verb. From a semantic point of view, most "bǎ" sentences emphasize that the action expressed by the verb causes the object to experience a result or undergo a change of some kind.

(二) 比较以下两个句子：

Compare the following sentences：

1．我洗衣服了。

　　Wǒ xǐ yīfu le.

2．我把衣服洗了。

　　Wǒ bǎ yīfu xǐ le.

1．是一般叙述句，回答"你做什么了？"的问题。

2．是"把"字句，回答"你把衣服怎么样了？"的问题。

　　因此可以说，不用"把"字句 和用"把"字句，所要表达的意思是有区别的。

These two sentences differ in implication. Sentence 1 is a regular narrative sentence；it answers the question, "What did you do?"

Sentence 2 is a "bǎ" sentence；it answers the question, "What did you do with the clothes?"

(三) 用"把"字句 的条件：

Conditions for a using "bǎ" sentence

　　"把"字句动词后要带有其他成分。这些成分可以是结果补语、状态补语、趋向补语、动量补语、动态助词、动宾结构等。无论哪一种成分，它们都含有表示"结果"的意义。

There must be another element following the verb. The element may be a complement of result, a complement of manner, a directional complement, a measure for an action, an aspect particle, or an object. The element following the verb, regardless of its type, expresses the result of the action.

　　1.他把衣服洗<u>完</u>了。　　　　　　　　（结果补语）

Tā bǎ yīfu xǐwán le.   complement of result

2. 他把衣服洗得很干净。   （状态补语）

Tā bǎ yīfu xǐ de hěn gānjing.   complement of state

3. 他把衣服取回来了。   （趋向补语）

Tā bǎ yīfu qǔ huílái le.   directional complement

4. 你把衣服烫一下吧。   （动量补语）

Nǐ bǎ yīfu tàng yīxià ba.   measure for an action

5. 他把那件红衣服丢了。   （动态助词）

Tā bǎ nà jiàn hóng yīfu diū le.   aspect particle

6. 把这件衣服留着吧，以后孩子可以穿。（动态助词）

Bǎ zhè jiàn yīfu liúzhe ba,   aspect particle

yǐhòu háizi kěyǐ chuān.

7. 他把新买的衣服数过了，一共六件。（动态助词）

Tā bǎ xīn mǎi de yīfu shǔguò le,   aspect particle

yīgòng liù jiàn.

8. 他把好消息告诉了老师。   （动宾结构）

Tā bǎ hǎo xiāoxi gàosu le lǎoshī.   object

"把"字句的宾语一般是确指的。

The object in a "bǎ" sentence is normally definite.

1. 你把这张请帖交给大使吧！

Nǐ bǎ zhè zhāng qǐngtiē jiāogěi dàshǐ ba.

2. 他把门关上了。

Tā bǎ mén guānshàng le.

3. 外面下雨，你把我的伞带上吧.

Wàimiàn xiàyǔ, nǐ bǎ wǒ de sǎn dàishàng ba.

偏误：Errors：

* 你把一张请帖交给大使吧。

* Nǐ bǎ yī zhāng qǐngtiē jiāogěi dàshǐ ba.

* 他把一扇门关上了。

* Tā bǎ yī shàn mén guānshàng le.

* 外面下雨，你把一把伞带上吧。

* Wàimiàn xià yǔ, nǐ bǎ yī bǎ sǎn dàishàng ba.

"把"字句的主要动词应该是动态动词。这些动词的积极活动，能使事物发生变化，并产生一定的结果。这些动词有：

The main verb in a "bǎ" sentence must be an active verb. The action of the verb brings about a change in the object and has a result of some sort. Such verbs include：

打、洗、穿、拉、抓

dǎ, xǐ, chuān, lā, zhuā

准备、打扮、布置

zhǔnbèi, dǎbàn, bùzhì

看、说、当、称、算

kàn, shuō, dāng, chēng, suàn

哭、笑、叫、吵

kū, xiào, jiào, chǎo

想、疼、兴奋、伤心

xiǎng, téng, xīngfèn, shāngxīn

表示存在，表示关系，表示行为或心理的某些动词不能用在"把"字句中。如：

Verbs that indicate existence, relationship, or behavioral or psychological states cannot be used in "bǎ" sentence. For sample：

有、在、姓、是、为、像、等于、相同；

yǒu, zài, xìng, shì, wèi, xiàng, děngyú, xiāngtóng

旅行、服务、合作、游泳、祝贺、觉得、认为、知道

lǚxíng, fúwù, hézuò, yóuyǒng, zhùhè, juéde, rènwéi, zhīdào

(四) 在"把"字句里,否定副词、能愿动词都放在"把"字前边

In a "bǎ" sentence, negative adverbs and modal verbs are placed before "bǎ".

1. 不把练习作完,我不去看电影。

   Bù bǎ liànxí zuòwán, wǒ bù qù kàn diànyǐng.

2. 他没把钥匙放在我这儿。

   Tā méi bǎ yàoshi fàngzài wǒ zhèr.

3. 别把衣服挂在这儿!

   Bié bǎ yīfu guàzài zhèr!

4. 你能把你的鞋拿到阳台上去吗?

   Nǐ néng bǎ nǐde xié nádào yángtái shàng qù ma?

5. 我不应该把这么重要的事忘了。

   Wǒ bù yīnggāi bǎ zhème zhòngyàode shì wàng le.

6. 刮风了,得把窗户关上!

   Guā fēng le, děi bǎ chuānghu guānshàng!

(五) 在汉语里,有些时候只能用"把"字句形式,不能用其他形式。只能用"把"字句的条件是动词后带有结果补语"在","到","给","作","成"等或带有趋向补语

The use of "bǎ" is sometimes obligatory. For example, when the verb is followed by a directional complement or a complement of result with "zài", "dào", "gěi", "zuò", or "chéng", the "bǎ" pattern is the only one that allows the object to be expressed.

1. 主 语 ＋ 把 ＋ 宾 语 ＋ 动 词 ＋ 在 ＋ 其 他
Subject ＋ "bǎ" ＋ object ＋ verb ＋ "zài" ＋ other elements

1. 我把书放在桌子上了。
Wǒ bǎ shū fàngzài zhuōzi shàng le.

2. 他把汽车停在门口了。
Tā bǎ qìchē tíngzài ménkǒu le.

2. 主 语 ＋ 把 ＋ 宾 语 ＋ 动 词 ＋ 到 ＋ 其 他
Subject ＋ "bǎ" ＋ object ＋ verb ＋ "dào" ＋ other elements

1. 妈妈把信寄到学校了。
Māma bǎ xìn jì dào xuéxiào le.

2. 请你把这些本子送到老师办公室吧!
Qǐng nǐ bǎ zhèxiē běnzi sòngdào lǎoshī bàngōngshì ba!

3. 主 语 ＋ 把 ＋ 宾 语 ＋ 动 词 ＋ 给 ＋ 其 他
Subject ＋ "bǎ" ＋ object ＋ verb ＋ "gěi" ＋ other elements

1. 你把钥匙交给你哥哥吧。
Nǐ bǎ yàoshi jiāogěi nǐ gēge ba.

2. 他把那本书还给老师了。
Tā bǎ nà běn shū huángěi lǎoshī le.

4. 主 语 + 把 + 宾语 + 动词 + 成 + 其他

Subject + "bǎ" + object + verb + "chéng" + other

elements

1. 请把这些句子翻译成英语。

Qǐng bǎ zhèxiē jùzi fānyì chéng Yīngyǔ.

2. 他把"6"写成"9"了。

Tā bǎ "liù" xiěchéng "jiǔ" le.

5. 主 语 + 把 + 宾语 + 动词 + 作/成 + 其他

Subject + "bǎ" + object + verb + "zuò"/"chéng" +

other elements

1. 他们把刘老师看做〔成〕好朋友。

Tāmen bǎ Liú lǎoshī kànzuò (chéng) hǎo péngyou.

2. 他把盐当作〔成〕糖了。

Tā bǎ yán dāngzuò (chéng) táng le.

6. 主语 + 把 + 宾语 + 动词 + 复合趋向补语

Subject + "bǎ" + object + verb + compound

directional complement

1. 我能把汽车开进去吗？

Wǒ néng bǎ qìchē kāi jìnqù ma?

2. 请把这些画儿挂上去吧。

Qǐng bǎ zhèxiē huàr guà shàngqù ba.

（六）如果一个句子的宾语太长，应该用"把"提前宾语

If the object is too long（e.g., contains one or more long modifiers），using the "bǎ" pattern may result in smoother, more natural phrasing than if the long object were to follow the verb.

1. 小平把他上个月从国外带回来的照相机丢了。

Xiǎopíng bǎ tā shànggè yuè cóng guówài dài huílái de zhàoxiàngjī diū le.

2. 他把他在飞机上听到的那个让人吃惊的消息告诉了他的好朋友。

Tā bǎ tā zài fēijī shàng tīngdào de nà gè ràng rén chījīng de xiāoxi gàosù le tā de hǎo péngyou.

3. 那个孩子把他在路上拣到的那个黑色的钱包交给了警察叔叔。

Nà gè háizi bǎ tā zài lùshàng jiǎndào de nà gè hēisè de qiánbāo jiāogěi le jǐngchá shūshu.

练 习
Exercise

一、请读下面的句子并模仿造句：

Read the following sentences and make similar sentences：

1. 我朋友把钱包丢了。

Wǒ péngyou bǎ qiánbāo diū le.

2. 我把自行车借给李平了。

Wǒ bǎ zìxíngchē jiè gěi Lǐ Píng le.

3. 他把报纸放在书架上了。

Tā bǎ bàozhǐ fàng zài shūjià shàng le.

4. 请把这篇课文翻译成英语。

Qǐng bǎ zhè piān kèwén fānyì chéng Yīngyǔ.

5. 你把学生们的学习情况给我介绍介绍,好吗？

Nǐ bǎ xuéshēngmen de xuéxí qíngkuàng gěi wǒ jièshào jièshao, hǎo ma?

6. 你离开房间的时候,一定要把门锁上。

Nǐ líkāi fángjiān de shíhòu, yīdìng yào bǎ mén suǒ shàng.

7. 我没把这件事告诉老师。

Wǒ méi bǎ zhè jiàn shì gàosù lǎoshī.

8. 不把练习做完,我不出去散步。

Bù bǎ liànxí zuòwán, wǒ bù chūqù sànbù.

9. 你把车开过来,我在这儿等着。

Nǐ bǎ chē kāi guòlái, wǒ zài zhèr děngzhe.

10. 把桌子抬到外边儿去吧,这张桌子坏了,不能用了。

Bǎ zhuōzi tái dào wàibiānr qù ba, zhè zhāng zhuōzi huài le, bù néng yòng le.

二、用"把"字和适当的动词及其他成分填空:

Fill in the blanks using "bǎ" and other components:

1. 请_____这件衣服_____吧!

Qǐng _____ zhè jiàn yīfu _____ ba!

2. _____这个电视机_____客厅里!

_____ zhè gè diànshìjī _____ kètīng li!

3. 我_____这些画_____墙上了。

Wǒ _____ zhè xiē huà _____ qiáng shàng le.

4. 我忘了_____他的行李_____飞机场去了。

Wǒ wàng le _____ tāde xíngli _____ fēijīchǎng qù le.

5. 我朋友_____他的钥匙_____房间里了。

Wǒ péngyou _____ tāde yàochi _____ fángjiān lǐ le.

6. 谁_____书包_____这儿了。

Shuí _____ shūbāo _____ zhèr le.

7. 他是什么时候_____信_____你的？

Tā shī shénme shíhòu _____ xìn _____ nǐ de?

8. 司机_____汽车_____天津去了。

Sījī _____ qìchē _____ Tiānjīn qù le.

9. 快_____病人_____医院去吧！

Kuài _____ bìngrén _____ yīyuàn qù ba!

10. 别_____饺子都_____，给我留点儿！

Bié _____ jiǎozi dōu _____, gěi wǒ liú diǎnr!

三、用"给"，"在"，"到"，"成"填空：

Fill in the blanks using "gěi", "zài", "dào", or "chéng":

1. 阿姨把桌子搬_____阳台上去了。

Āyí bǎ zhuōzi bān _____ yángtái shàng qù le.

2. 请把这几本杂志还_____张老师。

Qǐng bǎ zhè jǐ běn zázhì huán _____ Zháng lǎoshī.

3. 不要把自行车放_____门口。

Bù yào bǎ zìxíngchē fàng _____ ménkǒu.

4. 你怎么把"找"字写_____"我"字了？

Nǐ zěnme bǎ "zhǎo" zì xiě _____ "wǒ" zì le?

5. 大使让翻译把这篇文章翻译_____英文。

Dàshǐ ràng fānyì bǎ zhè piān wénzhāng fānyì _____ Yīngwén.

6. 这些句子很难，我要把它们写_____本子上。

Zhèxiē jùzi hěn nán, wǒ yào bǎ tāmen xiě _____ běnzi shàng.

7. 他把头发染_____黄色了。

Tā bǎ tóufa rǎn _____ huángsè le.

176

8. 我朋友把房子卖_____李先生了。

   Wǒ péngyou bǎ fángzi mài _____ Lǐ xiānsheng le.

9. 夫人把孩子送_____幼儿园去了。

   Fūrén bǎ háizi sòng _____ yòu'éryuán qù le.

10. 谁把汽车停_____马路中间了？

   Shuí bǎ qìchē tíng _____ mǎlù zhōngjiān le?

四、请把下列句子翻译成中文,翻译时用上"把":

Translate following into Chinese with "bǎ":

1. You can park your car here!

2. Where do you want to hang this painting over?

3. Open the window, please quickly!

4. I have finished my beer.

5. I have written his address in my notebook.

6. I have recorded the grammar taught by my teacher.

7. Tell me, whom should I send this letter to?

8. How did you forget my name?

9. They have not sown these flowers in the yard.

10. They do not want to tell this message to anybody.

11. If the homework has not been finished, you could not go out.

12. Nobody wants to buy so expensive things.

五、用所给的词语造"把"字句:

Make "bǎ" sentences using the following words:

1. 书   放在
   shū   fàng zài

2. 衣服   洗
   yīfu   xǐ

3. 门　　　　　　　　　　关
　　mén　　　　　　　　　guān

4. 邮票　　　　　　　　　贴
　　yóupiào　　　　　　　tiē

5. 事情　　　　　　　　　告诉
　　shìqing　　　　　　　gàosu

6. 钱　　　　　　　　　　寄给
　　qián　　　　　　　　　jìgěi

7. 椅子　　　　　　　　　搬到
　　yǐzi　　　　　　　　　bāndào

8. 客人　　　　　　　　　送到
　　kèrén　　　　　　　　sòngdào

9. 练习　　　　　　　　　做完
　　liànxí　　　　　　　　zuòwán

10. 旅行用的东西　　　　　准备
　　　lǚxíng yòng de dōngxi　zhǔnbèi

六、改错：

Correct the mistakes in the following sentences:

1. 我把这件事情已经知道了。

　　Wǒ bǎ zhè jiàn shìqing yǐjing zhīdào le.

2. 请放书在桌子上！

　　Qǐng fàng shū zài zhuōzi shàng!

3. 我把这本书看不懂。

　　Wǒ bǎ zhè běn shū kàn bù dǒng.

4. 在英国，我没把这些语法学过。

　　Zài Yīngguó, wǒ méi bǎ zhèxiē yǔfǎ xuéguò.

5. 她看我成她的女儿。

Tā kàn wǒ chéng tāde nǚer.

6. 快把药吃。

　　Kuài bǎ yào chī.

7. 他们很快地把饭吃。

　　Tāmen hěn kuài de bǎ fàn chī.

8. 我刚来北京，还没有把路认识。

　　Wǒ gāng lái Běijīng, hái méiyǒu bǎ lù rènshi.

9. 他把信没写完。

　　Tā bǎ xìn méi xiěwán.

10. 我们先把教室进去了，老师才来。

　　Wǒmen xiān bǎ jiàoshì jìnqù le, lǎoshī cái lái.

七、请把下面的短文翻译成英文：

Translate the following passage into English：

上星期日，我朋友田力搬家。他请我去帮忙。上午八点，我就到了他家。他家里很乱，到处都是东西，他和他爱人正在把书和字典放到箱子里，这样搬上汽车的时候更方便一些。我朋友田力叫我帮他们收拾衣服，我把衣服从衣柜里拿出来，然后一件件都放在衣箱里。我还把墙上的画小心地拿下来，把画上的尘土擦干净，再轻轻地卷起来，用纸包好，放在汽车里。

汽车把我们带到他们的新家。这是一套很漂亮的房子，有卧室，书房和客厅。他们把大床和衣柜放在卧室里，把书都放在书房的地上，因为新的书柜还没有运来。我建议他们把画挂在客厅的墙上，把电视机摆在客厅里，可是田力的爱人一定要把电视机放在卧室里，因为她喜欢晚上躺在床上看电视。

搬东西，整理东西，打扫房间，……我们不停地工作了差不多八个小时。吃晚饭的时候，我们一起喝啤酒，我举杯祝贺他们的"乔迁之喜"。

Shàng xīngqīrì, wǒ péngyou Tián Lì bān jiā. Tā qǐng wǒ qù bāngmáng. Shàngwǔ bā diǎn, wǒ jiù dào le tā jiā. Tā jiā li hěn luàn, dàochù dōu shì dōngxi, tā hé tā àirén zhèngzài bǎ shū hé zìdiǎn fàng dào xiāngzi li, zhèyàng bān shàng qìchē de shíhou gèng fāngbiàn yīxiē. Wǒ péngyou Tián Lì jiào wǒ bāng tāmen shōushi yīfu, wǒ bǎ yīfu cóng yīguì li ná chūlái, ránhòu yī jiàn jiàn dōu fàng zài yīxiāng li. Wǒ hái bǎ qiáng shàng de huà xiǎoxīn de ná xià lái, bǎ huà shàng de chéntǔ cā gānjìng, zài qīngqīng de juǎn qǐlái, yòng zhǐ bāo hǎo, fàng zài qìchē li.

Qìchē bǎ wǒmen dài dào tāmen de xīn jiā. Zhè shì yī tào hěn piàoliang de fángzi, yǒu wòshì, shūfáng hé kètīng. Tāmen bǎ nà zhāng dàchuáng hé yīguì fàng zài wòshì lǐ, bǎ shū dōu fàng zài shūfáng de dì shàng, yīnwéi xīnde shūguì hái méiyǒu yùn lái. Wǒ jiànyì tāmen bǎ huà guà zài kètīng de qiáng shàng, bǎ diànshìjī bǎi zài kètīng li, kěshì Tián Lì de àirén yīdìng yào bǎ diànshìjī fàng zài wòshì lǐ, yīnwéi tā xǐhuan wǎnshang tǎng zài chuáng shàng kàn diànshì.

Bān dōngxi, zhěnglǐ dōngxi, dǎsǎo fángjiān, ······ wǒmen bùtíng de gōngzuò le chà bu duō bā ge xiǎoshí. Chī wǎnfàn de shíhou, wǒmen yīqǐ hē píjiǔ, wǒ jǔ bēi zhùhè tāmen de "qiáo qiān zhī xǐ".

十一 否定词

Chapter 11 NEGATIVES

汉语的否定词有"不"、"没(有)"、"别"、"非"、"无"等,常用的是"不"、"没(有)"和"别"。

Negative words in Chinese include "bù", "méi" ("yǒu"), "bié", "fēi" and "wú". "Bù", "méi" ("yǒu") and "bié" are the most frequently used.

(一) 不"bù"

"不"位于动词或形容词前,用来否定未发生或未完成的动作或否定状态。

"Bù" is used to negate non-occurring or non-completed actions and to negate states.

(1) 用于否定未发生或未完成的动作行为,主要用于现在或将来。

Non-occurring or non-completed behaviors and actions (mostly in the present and future)

1. 他今天不学中文。

Tā jīntiān bù xué Zhōngwén.

2. 明天是假日,不上班。

Míngtiān shì jiàrì, bù shàngbān.

3. 后天我不休息。

Hòutiān wǒ bù xiūxi.

181

（2）句中的动词为表示动作行为的动词。即可用于现在和将来，也可用于过去。

Verbs expressing an action or behavior, to express subjective will or intention (note that such sentences may refer to the past as well as the present or future.)

1.昨天我怎么叫她她都不起来。

　　Zuótiān wǒ zěnme jiào tā tā dōu bù qǐlái.

2.——你还吃吗？

　　　Nǐ hái chī mā?

——不吃了。

　　Bù chī le.

3.不告诉你！

　　Bú gàosu nǐ.

（3）句中的动词为表示心理状况的动词。可用于过去、现在和将来。

Verbs expressing mental states (in the past, present, or future)

1.那时候，她并不知道。

　　Nà shíhou, tā bìng bù zhīdào.

2.现在她还不知道。

　　Xiànzài tā hái bù zhīdào.

3.我不喜欢这件衣服。

　　Wǒ bù xǐhuan zhè jiàn yīfu.

4.你不愿意去就算了。

　　Nǐ bù yuànyì qù jiù suàn le.

（4）动词为非动作性词——主要包括系动词和表示存在的动词。

Non-action verbs-mostly copulative verbs and verbs indicating existence (in the past, present, or future)

不是 bù shì　不在 bù zài　不像 bù xiàng　不等于 bù děngyú

(5) 形容词。可用于过去、现在或将来。

Adjectives (in the past, present, or future)

不忙 bù máng　不小 bù xiǎo　不结实 bù jiēshi

(6) 表示重复或习惯性的动作或状态。可用于过去、现在或将来。

Repeated or habitual actions or states (in the past, present, or future)

1. 他不吸烟。

　Tā bù xīyān.

2. 他从来不坐车上班。

　Tā cónglái bù zuò chē shàngbān.

3. 那几年我一直不吃肉。

　Nà jǐ nián wǒ yìzhí bù chī ròu.

偏误：Errors：

＊我昨天不去动物园。

　Wǒ zuótiān bù qù dòngwùyuán.

＊上周他不告诉我这个消息。

　Shàngzhōu tā bù gàosu wǒ zhè ge xiāoxi.

＊他去香港的事我没知道。

　Tā qù Xiānggǎng de shì wǒ méi zhīdào.

（二）没(有)　"méi"（"yǒu"）

(1) 否定动词"有"。

"Méi" is used to negate the verb "yǒu"

1. 他没有什么朋友。

　Tā méiyǒu shénme péngyou.

2.那儿没有饭馆儿。

　　Nàr méiyǒu fànguǎnr。

(2)否定动作或变化的完成。可以看成是"了"的否定形式。

"Méi" is used to negate the completion of actions or changes. This use of "méi" can often be regarded as the negation of "le". The main patterns in which "méi" is used are：

A.用于动词前,表示行为动作未发生或未完成。

Before an action verb, to express the non-occurrence or non-completion of the action or behavior.

1.昨天我没上班。(否定"昨天我上班了。")

　　Zuótiān wǒ méi shàngbān. (negation of "Zuótiān wǒ shàngbān le.")

2.现在没下雨。(否定"现在下雨了。")

　　Xiànzài méi xià yǔ. (negation of "Xiànzài xià yǔ le.")

3.我没感冒。(否定"我感冒了。")

　　Wǒ méi gǎnmào. (negation of "Wǒ gǎnmào le.")

B.用于形容词前,表示状态的变化未发生或未完成。

Before an adjective, to express the non-occurrence or non-completion of a change of state.

1.衣服没干呢。(否定"衣服干了。")

　　Yīfu méi gān ne. (negation of "Yīfu gān le.")

2.树叶没红。(否定"树叶红了。")

　　Shùyè méi hóng. (negation of "Shùyè hóng le.")

C.用于"在"前,表示过去或现在,不能用于将来。

Before "zài", referring to past or present (not future).

"在"作为主要动词

"zài" as a main verb

他现在没在。

184

Tā xiànzài méi zài.

"在"作为副词，表示"正在进行"。

"zài" before the main verb, meaning "in the midst of doing something."

我没在吃东西啊。

Wǒ méi zài chī dōngxi a.

（3）除以上两种用法以外，还有一种用法较为少见。

In addition, there is a third, less frequent use of "méi".

"没"用于一些能愿动词之前，主要是"能"和"想"。

Méi can be used before certain modal (auxiliary) verbs, primarily "néng" and "xiǎng".

1. 我并没想伤害你。

    Wǒ bìng méi xiǎng shānghài nǐ.

2. 很抱歉没能事先通知你。

    Hěn bàoqiàn méi néng shìxiān tōngzhī nǐ.

偏误：Errors：

* 校长明天没有上班。

    Xiàozhǎng míngtiān méiyǒu shàngbān.

* 下星期没下雨。

    Xià xīngqī méi xiàyǔ.

* 他太忙了，不有时间吃饭。

    Tā tài máng le, bù yǒu shíjiān chīfàn.

（三）别 "bié"

"别"是"不要"的意思，位于动词或形容词前，常用于祈使句。

"Bié" means the same as "búyào". It is often used in an imperative sentence before the verb or the adjective.

1. 别动！

Bié dòng!

2. 别着急。

　Bié zháojí。

3. 明天你别来了。

　Míngtiān nǐ bié lái le。

4. 大家别紧张。

　Dàjiā bié jǐnzhāng。

偏误：Errors：

＊别要说话。

　Bié yào shuōhuà。

＊昨天你别忘了吃药。

　Zuótiān nǐ bié wàng le chī yào。

练　　习
Exercise

一、填空：

Fill in the blanks：

1. 我＿＿＿＿知道。

　Wǒ ＿＿＿＿ zhīdào。

2. 他＿＿＿＿参加昨天的晚会。

　Tā ＿＿＿＿ cānjiā zuótiān de wǎnhuì。

3. ＿＿＿＿生气，大家跟你开一个玩笑。

　＿＿＿＿ shēngqì，dàjiā gēn nǐ kāi yī ge wánxiào。

4. 事故告诉我们＿＿＿＿要酒后开车。

　Shìgù gàosu wǒmen ＿＿＿＿ yào jiǔ hòu kāi chē。

5. 他＿＿＿＿得不说出这个秘密。

　Tā ＿＿＿＿ déi bù shuō chū zhè ge mìmì。

186

二、纠错：

Correct the wrong sentences：

1. 他昨天不来开会。

   Tā zuótiān bù lái kāi huì.

2. 小李下周没去出差。

   Xiǎo Lǐ xià zhōu méi qù chūchāi.

3. 经理的事儿太多，不有时间休息。

   Jīnglǐ de shìr tài duō, bùyǒu shíjiān xiūxi.

4. 昨天晚上你别忘了看电影。

   Zuótiān wǎnshang nǐ bié wàngle kàn diànyǐng.

5. 别要大声说话。

   Bié yào dàshēng shuōhuà.

6. 上周，他不告诉我这个安排。

   Shàngzhōu, tā bù gàosu wǒ zhè ge ānpái.

十二 数 词

Chapter 12   NUMBERS

（一）基数词
Cardinal Numbers
（1）基数词的读法：
The correct pronunciation of the cardinal numbers:

一	二	三	四	五
yī	èr	sān	sì	wǔ
六	七	八	九	十
liù	qī	bā	jiǔ	shí
十一	十二	十三	十四	十五
shíyī	shíèr	shísān	shísì	shíwǔ
十六	十七	十八	十九	二十
shíliù	shíqī	shíbā	shíjiǔ	èrshí
二十一	二十二	二十三	二十四	二十五
èrshíyī	èrshíèr	èrshísān	èrshísì	èrshíwǔ
二十六	二十七	二十八	二十九	三十
èrshíliù	èrshíqī	èrshíbā	èrshíjiǔ	sānshí
三十一	四十	五十	一百	三百
sānshíyī	sìshí	wǔshí	yībǎi	sānbǎi
六百五十	一千	一千零七	一万	十万
liùbǎi wǔshí	yīqiān	yīqiān líng qī	yīwàn	shíwàn

188

四十五万零二百三十一　　　　百万　　　千万
sìshíwǔwàn líng èrbǎi sānshíyī　　bǎiwàn　　qiānwàn

亿　　　　十一亿五千万
yì　　　shíyīyì wǔqiānwàn

(2) 汉语数词的基本单位

The Chinese system counts by ten thousands.

万	wàn
1,0000	
百万	bǎiwàn
100,0000	
亿	yì
1,0000,0000	
十亿	shíyì
10,0000,0000	

汉语数词习惯以四位数为一个基本单位,即五位数一读,四位数以前是"万",八位数以前是亿。例:

Large numbers (10,000 and above) in the Chinese language are organized differently from those in English. The Arabic system groups units by thousands, millions, or billions, while the Chinese system counts by ten thousands or hundred millions. For instance,

1,8000 读作:　　　　一万八千
　　　　　　　　　　yīwàn bāqiān

750,0000 读作:　　　　七百五十万
　　　　　　　　　　qībǎi wǔshí wàn

3,2600,0000 读作:　　　　三亿二千六百万
　　　　　　　　　　sānyì èrqiān liùbǎiwàn

12,4900,0000 读作:　　　　十二亿四千九百万

shí'èr yì sìqiān jiǔbǎiwàn

偏误：Errors：

8,7000 ＊ 读作：八十七千

　　　　＊　　　bāshíqīqiān

34,0000 ＊ 读作：三百四十千

　　　　＊　　　sānbǎisìshí qiān

(3) 不论两数间有几个零，只读一个零。

When "líng"(zero) is used in combination with "bǎi"(hundred), "qiān"(thousand), and "wàn"(ten thousand), "líng" stands for intermediate zeros. "Líng" is said only once, even when representing more than one zero. For example：

101	一百零一
	Yìbǎilíngyī
4005	四千零五
	sìqiānlíngwǔ
80,0080	八十万零八十
	Bāshí wàn líng bāshí

偏误：Errors：

＊　　四千零零五

＊　　sìqiān líng líng wǔ

＊　　八十万零零零八十

＊　　bāshí wàn líng líng líng bāshí

(4) 数词一般不直接修饰名词，两者间需要用量词以为中介。

A classifier measure word is needed between a number and a noun in Chinese; in most instances, a number cannot directly precede a noun：

Num. + M. + N

一块表	两位经理	五把椅子	十二个鸡蛋
yī kuài biǎo	liǎng wèi jīnglǐ	wǔ bǎ yǐzi	shíèr ge jīdàn

偏误：Error：

*一面包	三酒	六朋友	九桌子
* yī miànbāo	sān jiǔ	liù péngyou	jiǔ zhuōzi

（二）序数词

Ordinal numbers

（1）"第…"，汉语通常在数字前加前缀词"第"来表示序数。

In Chinese, ordinal numbers are expressed by attaching the prefix "dì" to the cardinal number：

第三天	第 51（页）
dì sān tiān	dì wǔshíyī(yè)

第 12（个）	第 907（号房间）
dì shíèr(ge)	dì jiǔ líng qī(hào fángjiān)

（2）"头…"，也是汉语序数词的前缀

To distinguish quantities in a series, add a prefix "tóu" (meaning "head" or "first") to the cardinal number：

头一（天）	头三（个人）	头两（个星期）
tóu yī (tiān)	tóu sān (ge rén)	tóu liǎng (ge xīngqī)

（3）"初…"，有开始的意思，也用来表示序数的前缀

To denote the first ten days of a lunar month, add the prefix "chū" to the numerals one to ten; the prefix "chū" also denotes the "first".

初一	初五	初（次）	初（等）
chū yī	chū wǔ	chū(cì)	chū(děng)

注意：Notes：

在某些情况下，汉语的序数词和基数词相同。习惯只用基数词表示序数。

In the following cases cardinal numbers are used instead of ordinal numbers.

亲属： 三哥 二姨
relatives：sān gē èr yí

楼房： 四楼 五层
building：sì lóu wǔ céng

偏误：Error：

＊ 第六楼 ＊ 第七弟

＊ dì liù lóu ＊ dì qī dì

（三）分数
Fraction

汉语分数的表达方法是先说分母，然后加"…分之…"最后说分子。

A fraction $\frac{y}{x}$ is expressed as "x fēn zhī y" meaning "y parts out of x". The denominator "x" is called "fēnmǔ"(mother of the fraction) and the numerator "y" is called "fēnzǐ"(son of the fraction).

（X）分之（Y）

五分之四
wǔ fēn zhī sì

十分之一
shí fēn zhī yī

百分之五十
bǎi fēn zhī wǔshí

千分之二
qiān fēn zhī èr

万分之一

wàn fēn zhī yī

（四）概数

Approximate numbers

（1）表示接近但不足某数目，在数字前用"近"，

"Jìn" is placed before a number to mean "nearly".

近百家饭馆

jìn bǎi jiā fànguǎn

近三十个人

jìn sānshí ge rén

（2）表示在某数目周围

Expressing more or less than a certain number

A. 可以在数字"十"后加"来"，

"Lái" may be added after the number "shí".

十来个人

shí lái ge rén

五十来座大楼

wǔshí lái zuò dàlóu

B. 常在数字后加"左右"或"上下"，

"Zuǒyòu" or "shàngxià" may be added after the number.

四点左右

sì diǎn zuǒyòu

十五个左右

shíwǔ ge zuǒyòu

三千上下

sānqiān shàngxià

四十上下

sìshí shàngxià

C. 也可以在数字前用"约"或"大约"来修饰，

The number may be modified by "yuē" or "dàyuē".

约一个小时

yuē yí ge xiǎoshí

大约五十公斤

dàyuē wǔshí gōngjīn

D. 相邻或相近的数词并列使用。

Using numbers that are adjacent or close to each other.

三五个　　　十万八万

sānwǔ gè　　shíwàn bāwàn

如是两位数，则只连接相邻的尾数。

With a two‐digit number, place together the two adjacent numbers from the ones place:

十五六个人　　二十七八天

shíwǔliù ge rén　　èrshíqībā tiān

偏误： ＊ Zhège xīguā yǒu shíqīshíbā jīn zhòng.

Error： ＊这个西瓜有十七十八斤重。

(3) 表示超过某数目，一般在数字后加"多"或"开外"，有两种情况。

To express "over" a certain number, add "duō" or "kāiwài" after the number. Distinguish the following two patterns.

A. 整数时：

round number

二十多辆汽车

èrshí duō liàng qìchē

一百多个生词

yìbǎi duō ge shēngcí

八十开外

bāshí kāiwài

B. 数词为 1~9 时，"多"必须移至量词后。

"duō" should move after the measure word, when the number is 1~9.

我们学习了两个多小时了。

Wǒmen xuéxí le liǎng ge duō xiǎoshí le.

她们三年多没见面了。

Tāmen sān nián duō méi jiànmiàn le.

偏误：Errors：

* 我的朋友在中国住 3 多年了。

* Wǒde péngyou zài Zhōngguó zhù sān duō nián le.

* 这个城市从前只有两三万多人。

* Zhè ge chéngshì cóngqián zhǐyǒu liǎngsān wàn duō rén.

练　习
Exercise

一、阅读：
Reading：

1 一　二　三　四　五　六　七　八　九　十

　yī　èr　sān　sì　wǔ　liù　qī　bā　jiǔ　shí

二十　三十　七十　八十　一百　三百

èrshí　sānshí　qīshí　bāshí　yībǎi　sānbǎi

八百　九百　四千　六千　七千　五万

bābǎi　jiǔbǎi　sìqiān　liùqiān　qīqiān　wǔwàn

十万　百万　千万　一亿　十三亿　百亿

shíwàn　bǎiwàn　qiānwàn　yīyì　shísānyì　bǎiyì

千亿　　三十一　　四百五十　　一千六百七十七
qiānyì　sānshíyī　sìbǎiwǔshí　yīqiānliùbǎiqīshíqī

八万三千九百　　十八万八千　　二百三十万
bāwànsānqiānjiǔbǎi　shíbāwànbāqiān　èrbǎisānshíwàn

七千四百万　　一亿一千万　　十二亿八千五百万
qīqiānsìbǎiwàn　yīyìyīqiānwàn　shíèryìbāqiānwǔbǎiwàn

一百零一　　一千零一　　一万零一百
yībǎilíngyī　yīqiānlíngyī　yīwànlíngyībǎi

2. 第一　　第七　　第八十九　　第一百零一
　　dìyī　dìqī　dìbāshíjiǔ　dìyībǎilíngyī

　头三（天）　　初（次）
　tóusān(tiān)　chū(cì)

3. 三分之一　　十分之八　　百分之五十
　sānfēnzhīyī　shífēnzhībā　bǎifēnzhīwǔshí

万分之一
wànfēnzhīyī

4. 近百（人）　　七点左右　　三十上下
　jìnbǎi(rén)　qīdiǎn zuǒyòu sānshí shàngxià

七八个（朋友）
qī bāge(péngyou)

二、改错：

Correct the errors：

1. 十八千
　shíbā qiān

2. 八百千零零一
　bābǎi qiān líng líng yī

3. 十二鸡蛋　　九朋友　　　五面包

shíèr jīdàn　　jiǔ péngyou　　wǔ miànbāo

4. 北京大约有七八个县左右。

Běijīng dàyuē yǒu qībā ge xiàn zuǒyòu.

5. 英国的留学生汤姆在中国学习两多年了。

Yīngguó de liúxuéshēng Tāng Mu zài Zhōngguó xuéxí liǎng duō
nián le.

6. 这篇文章我有二十个多的生词。

Zhè piān wénzhāng wǒ yǒu èrshí ge duō de shēngcí.

7. 那条大街有近五十家饭馆儿上下。

Nà tiáo dàjiē yǒu jìn wǔshí jiā fànguǎnr shàngxià.

8. 出席大会的代表超过了近万人。

Chūxí dàhuì de dàibiǎo chāoguò le jìn wàn rén.

十三 量 词

Chapter 13　MEASURE WORDS

量词是一种表示事物数量单位的词,用于数词和名词;"这"、"那"和名词;以及"哪"、"几"、"多少"等词和名词之间。

A measure word expresses units of people, events, actions, and things. A measure word must occur between a number and a noun; or between the specifier "zhè", "nà" and a noun, or between "nǎ", "jǐ", "duōshao" and a noun.

(一) 个体量词
Individual measure words

1. 个 gè

┌───┐
量词"个"是用于计量时使用最广泛的量词
"Gè" has the broadest usage of any measure word.
└───┘

四～电话	两～人	八～西瓜	十～字
sì～diànhuà	liǎng～rén	bā～xīguā	shí～zì

2. 位 wèi

┌───┐
"位"是在计量所尊敬的人时使用
"Wèi" is used instead of "gè" as a measure for people, to indicate respect. (But wèi is not used with the noun "rén".)
└───┘

一～大使　　两～客人　　三～朋友

yī～dàshǐ　liǎng～kèrén　sān～péngyou

3．张 zhāng

> "张"一般用于计量平面物体。
> "Zhāng"is a measure for flat, sheetlike items.

五～纸　　三～桌子　　六～照片

wǔ～zhǐ　sān～zhuōzi　liù～zhàopiàn

4．件 jiàn

> "件"用于计量上衣,某些个体器物。
> "Jiàn" is used for upper or outer garments, or for some individual articles.

一～上衣　　三～夹克　　五～行李

yī～shàngyī　sān～jiákè　wǔ～xíngli

5．条 tiáo

> "条"用于计量下衣,条状物,项目等
> "Tiáo" is used for lower garments; or for long, strip-like objects; or for certain items.

一～裙子　　一～裤子　　三～领带

yī～qúnzi　yī～kùzi　sān～lǐngdài

两～大河　　一～街　　四～鱼

liǎng～dàhé　yī～jiē　sì～yú

五～规定　　一～新闻　　两～消息　　四～意见

wǔ～guīdìng　yī～xīnwén　liǎng～xiāoxi　sì～yìjiàn

199

6. 把 bǎ

> "把"用于计量可以用手握住的物品。
> "Bǎ"is used for things that can be grasped.

一～椅子　　四～雨伞　　六～剪刀

yī～yǐzi　　sì～yǔsǎn　　liù～jiǎndāo

7. 只 zhī

> "只"用于计量某些动物或一对物品中的一个。
> "Zhī" is used for certain animals, or for one of a pair of things.

七～鸡　　三～猫　　两～鸟

qī～jī　　sān～māo　liǎng～niǎo

一～手　　一～眼睛　　一～袜子

yī～shǒu　　yī～yǎnjīng　yī～wàzi

8. 本 ben

> "本"用于计量许多张纸合成的本子。
> "Běn" is used for book-like things.

一～书　　三～杂志　　两～支票

yī～shū　　sān～zázhì　　liǎng～zhīpiào

9. 间 jiān

> "间"用于计量房间。
> "Jiān" is used for rooms.

一～厨房　　三～卧室　　六～房屋

yī~chúfáng　　sān~wòshì　　liù~fángwū

10．片 piàn

> "片"用于计量扁平形状的物体。
> "Piàn" is used for flat things or slices.

两~面包　　　三~药片　　　一~云
liǎng~miànbāo　sān~yàopiàn　yī~yún

11．块 kuài

> "块"用于计量整体中的一部分或一张平面的物体。
> "Kuài" is used for pieces of a whole thing, or for flat objects.

一~巧克力　　　三~蛋糕　　　两~奖牌
yī~qiǎokèlì　　sān~dàngāo　liǎng~jiǎngpái

(二) 集合量词：
Collective measure words

> "集合量词"用于计量成对或成套的事物
> Collective measure words are used for a pair or a group of things.

1．套 tào (suit, set)

两~衣服　　一~书　　五~房子
liǎng~yīfu　yī~shū　　wǔ~fángzi

2．双 shuāng (pair)

三~鞋　　六~袜子　　两~筷子

sān～xié　　liù～wàzi　　liǎng～kuàizi

3. 副 fù (set)

两～手套　　　三～渔竿　　　全～武装

liǎng～shǒutào　　sān～yúgān　　　quán～wǔzhuāng

此类集合量词还有：群、打、伙、批等。

The following belong to this category also: "qún"(flock),
"dá"(dozen),"huǒ"(group),"pī"(batch).

（三）不定量词

Indefinite measure words

> "不定量词"用于计量不确定数量的事物。
>
> Indefinite measure words are used for an unspecified
> number of objects

1. 些 xiē (a few)

一～书　　　这～东西　　　那～人

yī～shū　　zhè～dōngxi　　nà～rén

2. 点儿 diǎnr

一～事儿　　　一～麻烦

yī～shìr　　　yī～máfan

（四）种属量词

Category measure words

> "种属量词"用于表示不同种类的事物。
>
> Category measure words are used for things of different
> types.

1. 种 zhǒng

   五～语言　　两～方法　　三～情况

   wǔ～yǔyán　liǎng～fāngfǎ　sān～qíngkuàng

2. 式 shì

   一～两份

   yī～liǎng fèn

3. 样 yàng

   五～菜　　三～作法

   wǔ～cài　　sān～zuòfǎ

4. 类 lèi

   同～结果　　四～样品

   tóng～jiéguǒ　sì～yàngpǐn

(五) 度量衡词

Standard measure words for weight, length, and volume

> "度量衡词"是计算物体长度、容量、重量单位的词
> Standard measure words are used for units of length, weight and volume.

1. 公斤 gōngjīn (kg.)

   五～苹果　　二百～煤

   wǔ～píngguǒ　èr bǎi～méi

2. 斤 jīn (0.5kg.)

   二～等于一公斤　　三～油

   èr～děngyú yī gōngjīn sān～yóu

3. 克 kè (g.)

   一百五十～牛奶　　　八十～黄金

203

yī bǎi wǔshí～niúnǎi   bāshí～huángjīn

4. 公里 gōnglǐ (km.)

二百四十～～路程   十～～长跑

èr bǎi sìshí～～lùchéng   shí～～cháng pǎo

5. 米 mǐ (m.)

三～布   一～八身高

sān～bù   yī～bāshēngāo

6. 里 lǐ (0.5km.)

二～等于一公里   五百米是一～

èr～děngyú yī gōnglǐ   wǔ bǎi mǐ shì yī～

7. 升 shēng (litre)

两～汽油   三～水

liǎng～qìyóu   sān～shuǐ

(六) 容器量词

Container measures

> "容器量词"是借容器的名字来当做量词。
>
> Container measure words are measure words that borrow the names of containers.

1. 杯 bēi (cup)

一～咖啡   两～啤酒

yī～kāfēi   liǎng～píjiǔ

2. 瓶 píng (bottle)

五～果酱   三～药水

wǔ～guǒjiàng sān～yàoshuǐ

3. 壶 hú (pot)

一~开水　　一~茶

yī~kāi shuǐ　　yī~chá

4. 盘 pán (plate)

三~菜　　两~水果

sān~cài　　liǎng~shuǐguǒ

（七）动量词
Measure words for verbs of action

> "动量词"是表示动作次数的量词。
>
> **Measure words for verbs of action indicate the number of times the action takes place.**

我去过三<u>次</u>马来西亚。

Wǒ qùguo sān cì Mǎláixīyà.

今天他已经来两<u>回</u>了。

Jīntiān tā yǐjīng lái liǎng huí le.

我每天早上去一<u>趟</u>自由市场。

Wǒ měitiān zǎoshang qù yī tàng zìyóu shìchǎng.

这本书我已经看了三<u>遍</u>了。

Zhè běn shū wǒ yǐjīng kàn le sān biàn le

练　习
Exercise

一、阅读：

Read：

一条大河　　　　四本书　　　　六杯咖啡

yī tiáo dà hé	sì běn shū	liù bēi kāfēi
十二瓶啤酒	五件毛衣	七条裤子
shíèr píng píjiǔ	wǔ jiàn máoyī	qī tiáo kùzi
三个朋友	两位客人	三十二张照片
sān ge péngyou	liǎng wèi kèrén	sānshíèr zhāng zhàopiàn
一双拖鞋	这些东西	那些事儿
yī shuāng tuōxié	zhèxiē dōngxi	nàxiē shìr
十五公里路	两公斤苹果	十公升水
shíwǔ gōnglǐ lù	liǎng gōngjīn píngguǒ	shí gōngshēng shuǐ

二、填空：

Fill in the blanks：

两（　）皮带	五（　）杂志	八（　）牛奶
liǎng（　）pídài	wǔ（　）zázhì	bā（　）niúnǎi
三（　）西瓜	四（　）菜	九（　）面包
sān（　）xīguā	sì（　）cài	jiǔ（　）miànbāo
一（　）咖啡	七（　）语言	三（　）卧室
yī（　）kāfēi	qī（　）yǔyán	sān（　）wòshì
四（　）药	两（　）巧克力	一（　）衣服
sì（　）yào	liǎng（　）qiǎokèlì	yī（　）yīfu
三（　）椅子	一（　）桌子	一（　）手套
sān（　）yǐzi	yī（　）zhuōzi	yī（　）shǒutào
两（　）布	这（　）方法	那（　）东西
liǎng（　）bù	zhè（　）fāngfǎ	nà（　）dōngxi

三、纠错：

Correct the errors：

三只鱼	四个鸟	五条衬衫

206

sān zhī yú   sì ge niǎo   wǔ tiáo chènshān

六张椅子   十个照片   一片厨房

liù zhāng yǐzi   shí ge zhàopiàn   yī piàn chúfáng

两套夹克   五个意见   七个领带

liǎng tào jiákè   wǔ ge yìjiàn   qī ge lǐngdài

十二壶药水   三杯汽油

shíèr hú yàoshuǐ   sān bēi qìyóu

十四 离合词

Chapter 14 SEPARABLE WORDS

离合词是现代汉语中一种用法特殊的双音节词,它的组合成分之间结合较松,需要时,中间可加入其他成分。它主要用作动词,有的也用作形容词或名词。

In Chinese, there is a type of two-syllable word which has a special usage. Its structure is loose in the sense that the two parts can be separated, with another element inserted between them. Such words are called separable words. Most play the role of verb, but others act as adjectives or as nouns.

(一) 结构
Construction

大部分离合词是由一个动词成分与一个名词成分构成。

The majority of separable words are composed of a verbal element and an object.

```
动词 + 宾语
Verb + object
```

见面 或 见……面   结婚 或 结……婚
jiànmiàn huò jiàn……miàn   jiéhūn huò jié……hūn

也有小部分的离合词由一个动词成分与一个补语成分构成

A few separable words are composed of a verbal element and a complement.

> 动词 + 补语
> Verb + complement

抓紧   帮忙

zhuā //jǐn bāng// máng

(1) 动词 Verb

1. 我今天晚上和我朋友见面。

  Wǒ jīntiān wǎnshang hé wǒ péngyou jiànmiàn.

  我希望和你见一面。

  Wǒ xīwàng hé nǐ jiàn yī miàn.

2. 上星期老王和小孙结婚了。

  Shàng xīngqī Lǎo Wáng hé Xiǎo Sūn jiéhūn le.

  李明结了三次婚。

  Lǐ míng jié le sān cì hūn.

(2) 形容词 Adjective

1. 他非常着急。

  Tā fēicháng zháojí.

  时间还早，你着什么急呀。

  Shíjiān hái zǎo, nǐ zháo shénme jí ya.

2. 别发愁了，我有办法了。

  Bié fāchóu le, wǒ yǒu bànfǎ le.

  刚到 15 号工资就花完了，他发了大愁了。

  Gāng dào shí wǔ hào gōngzī jiù huā wán le, tā fā le dà chóu le.

(3) 名词 Noun

1. 我的签证下星期到期。

Wǒ de qiānzhèng xià xīngqī dào qī.

2. 他和同事们的关系都很好。

Tā hé tóngshì men de guānxi dōu hěn hǎo.

（二）使用条件

Conditions of use

（1）结合在一起使用时：

When the two parts of a separable word are together：

A. 离合词前，常以介词词组来修饰，其格式为：

A prepositional phrase often appears before the separable word as a modifier, in the following pattern.

主语 + 介词词组 + 离合词(动词)

Subject + prepositional phrase + separable word (verb)

---

1. 明天我要跟小李见面。

Míngtiān wǒ yào gēn Xiǎo Lǐ jiànmiàn.

2. 他将和张兰结婚。

Tā jiāng hé Zhāng Lán jiéhūn.

3. 大家给那个歌星鼓掌。

Dàjiā gěi nà ge gēxīng gǔzhǎng.

4. 家长为孩子操心。

Jiāzhǎng wèi háizi cāoxīn.

5. 一对恋人在公园散步。

Yī duì liànrén zài gōngyuán sànbù.

偏误：Errors：

误用为及物动词而加上了宾语。

The majority of separable words are intransitive verbs and cannot be followed by an object.

* 你可以帮忙我吗？（你可以帮我一个忙吗？）

* Nǐ kěyǐ bāngmáng wǒ ma? (Nǐ kěyǐ bāng wǒ yī ge máng ma?)

* 王先生结婚她。（王先生和她结婚。）

* Wáng xiānsheng jiéhūn ta. (Wáng xiānsheng hé tā jiéhūn.)

* 妈妈洗澡孩子。（妈妈给孩子洗澡。）

* Māma xǐzǎo háizi. (Māma gěi háizi xǐzǎo.)

* 我见面你。（我和你见面。）

* Wǒ jiànmiàn nǐ. (Wǒ hé nǐ jiànmiàn)

B. 部分离合词可带补语

Some separable words can be followed by a complement.

> 主语＋离合词＋重复离合词动词部分＋了…
> Subject＋separable word (verb＋object)＋repetition of the verb＋"le"

1. 他们昨天跳舞跳了一个晚上。

   Tāmen zuótiān tiàowǔ tiào le yī ge wǎnshang.

2. 老王吹牛吹得很厉害。

   Lǎo Wáng chuīniú chuī de hěn lìhai.

3. 上个星期日小李照相照了半天。

   Shàng ge xīngqi rì Xiǎo Lǐ zhàoxiàng zhào le bàntiān.

4. 张主任出国出了三年。

   Zhāng zhǔrèn chūguó chū le sān nián.

(2) 分离时的使用条件

When the two syllables of separable word are apart:

A. 中间通常可加着、了、过

The particles "zhe, le, or guo" may be inserted between the two syllables.

> 动词成分＋着/了/过＋名词成分
> verbal element＋"zhe/le/guo"＋nominal element

发着烧	点着头
fā zhe shāo	diǎn zhe tóu
洗了澡	请了假
xǐ le zǎo	qǐng le jià
上过当	吃过亏
shàng guo dàng	chī guò kuī

偏误：Errors：

应加入词中的成分误置于词后：

Placing a particle after the whole separable word when the particle should instead be placed between the two parts of the separable word.

* 他洗澡了去吃饭。（他洗了澡去吃饭。）
* Tā xǐzǎo le qù chīfàn. (Tā xǐ le zǎo qù chīfàn.)
* 老师点头着同意了。（老师点着头同意了。）
* Lǎoshī diǎntóu zhe tóngyì le. (Lǎoshī diǎn zhe tóu tóngyì le.)
* 小王送礼过。（小王送过礼。）
* XiǎoWáng sòng lǐ guo. (XiǎoWáng sòngguo lǐ.)

B.一部分离合词中间可加入数量词：

A number plus measure word can be inserted between the two parts of some separable words:

> 动词成分＋数量词＋名词成分
> Verbal element＋measure word＋nominal element

见一次面　　　唱两首歌

jiàn yī cì miàn　chàng liǎng shǒu gē

搬八次家　　　帮一个忙

bān bā cì jiā　bāng yī ge máng

C.一部分离合词中间可加入"什么",后附"呀",表示不必的意思。

"Shénme" can be inserted into some separable words, meaning "it is unnecessary to..."

> 离合词动词成分＋什么＋名词成分＋呀
> Verbal element ＋ "shénme" ＋ nominal element ＋ "ya"

生什么气呀　　　离什么婚呀

shēng shénme qì ya　lí shénme hūn ya

操什么心呀　　　送什么礼呀

cāo shénme xīn ya　sòng shénme lǐ ya

D.部分离合词可以重叠第一音节,表示某个动作持续一段不长的时间。或表示次数少、程度深。

Repeating the first element of some separable words indicates that an action continues for a short time.

> 离合词动词成分＋重复动词成分＋名词成分
> Verbal element ＋ repeated part ＋ nominal element

散散步　　　跳跳舞　　　把把关　　吃吃饭

sàn san bù　tiào tiao wǔ　bǎ ba guān　chī chi fàn

看看病　　　理理发

kàn kan bìng　lǐ li fà

或在重叠词之间加入"了"

When "le" is used, it appears between the repeated parts.

离合词动词成分＋了＋重复动词成分＋名词成分

Verbal element ＋ "le" ＋ repeating the element ＋ nominal element

点了点头　　　唱了唱歌　　　握了握手
diǎn le diǎn tóu　　chàng le chàng gē　　wò le wò shǒu

偏误：Errors：

误将整个离合词重叠：

It is wrong to reduplicate a whole separable word.

* 大使和部长见面见面。（大使和部长见见面。）

* Dàshǐ hé bùzhǎng jiànmiàn jiànmiàn. (Dàshǐ hé bùzhǎng jiàn jiàn miàn.)

* 他们握手了握手。（他们握了握手。）

* Tāmen wòshǒu le wòshǒu. (Tāmen wò le wò shǒu.)

常用离合词表
Common Separable Words

音 序 Order	例　　　词 Example
A	碍事　　安家　　安神 àishì　ānjiā　ānshén
B	拔尖　　把关　　摆手　　　办公　　　帮忙　　　报名 bájiān　bǎguān　bǎishǒu　bàngōng　bāngmáng　bàomíng 变心　　播音　　毕业 biànxīn　bōyīn　bìyè
C	操心　　插话　　插手　　吵架　　吃饭　　出差　　出口 cāoxīn　chāhuà　chāshǒu　chǎojià　chīfàn　chūchāi　chūkǒu 吹牛　　成交 chuīniú　chéngjiāo
D	打的　　打架　　担心　　道歉　　得意　　动身　　　断交 dǎdī　dǎjià　dānxīn　dàoqiàn　déyì　dòngshēn　duànjiāo 读书 dúshū
F	发财　　发愁　　翻脸　　犯罪　　放心　　分手　　付款　　犯法 fācái　fāchóu　fānliǎn　fànzuì　fàngxīn　fēnshǒu　fùkuǎn　fànfǎ
G	干杯　　干活　　鼓掌　　挂号　　过关　　过瘾　　过年 gānbēi　gànhuó　gǔzhǎng　guàhào　guòguān　guòyǐn　guònián
H	换钱　　灰心　　回信　　混饭 huànqián　huīxīn　huíxìn　hùnfàn
J	加油　　见面　　建交　　讲话　　结果　　结婚　　介意　　就业 jiāyóu　jiànmiàn　jiànjiāo　jiǎnghuà　jiéguǒ　jiéhūn　jièyì　jiùyè 救命 jiùmìng
K	开车　　开会　　开头　　夸口　　坑人　　看病 kāichē　kāihuì　kāitóu　kuākǒu　kēngrén　kànbìng

215

音　序 Order	例　　　词 Example
L	劳驾　理发　离婚　聊天　　领情　　留神　　落后 láojià　lǐfà　líhūn　liáotiān　lǐngqíng　liúshén　luòhòu
M	冒险　　没空　　没事　　迷路　　免税　　没戏 màoxiǎn　méikòng　méishì　mílù　miǎnshuì　méixì
P	排队　　跑步　　赔钱　　碰头　　拼命　　破产 páiduì　pǎobù　péiqián　pèngtóu　pīnmìng　pòchǎn
Q	起床　　签名　　请假　　缺勤 qǐchuáng　qiānmíng　qǐngjià　quēqín
R	让步　　入门　　入境　　如意 ràngbù　rùmén　rùjìng　rúyì
S	散步　　散心　　扫兴　　伤心　　　上当　　生气　　随便 sànbù　sànxīn　sǎoxìng　shāngxīn　shàngdàng　shēngqì　suíbiàn 　　说谎 　　shuōhuǎng
T	抬杠　　谈话　　探亲　　停火　　同事　　投票　　退休 táigàng　tánhuà　tànqīn　tínghuǒ　tóngshì　tóupiào　tuìxiū
W	完蛋　　晚点　　问好　　握手　　误点 wándàn　wǎndiǎn　wènhǎo　wòshǒu　wùdiǎn
X	吸烟　洗澡　下海　吓人　　想家　　泄气　　休假　　行凶 xīyān　xǐzǎo　xiàhǎi　xiàrén　xiǎngjiā　xièqì　xiūjià　xíngxiōng
Y	摇头　　用心　　游泳　　有名　　运气 yáotóu　yòngxīn　yóuyǒng　yǒumíng　yùnqi
Z	在意　　涨价　　招手　　着急　　助兴　　撞车 zàiyì　zhǎngjià　zhāoshǒu　zháojí　zhùxìng　zhuàngchē

练 习
Exercise

一、阅读：

Read the following sentences：

1. 今天晚上我和你见面。

   Jīntiān wǎnshang wǒ hé nǐ jiànmiàn.

2. 前天我和朋友见了一面。

   Qiántiān wǒ hé péngyou jiàn le yī miàn.

3 他先后结过三次婚，都不成功。

   Tā xiānhòu jié guo sān cì hūn, dōu bù chénggōng.

4. 马克打算明年和玛丽结婚。

   Mǎkè dǎsuàn míngnián hé Mǎlì jiéhūn.

5. 大卫很忙，上午开了三个会。

   Dàwèi hěn máng, shàngwǔ kāi le sān ge huì.

二、造句：

Make sentences with the elements given：

1. 洗澡　妈妈　孩子　给

   xǐzǎo　māmā　háizi　gěi

2. 帮忙　可以　一个　你　吗　我

   bāngmáng　kěyǐ　yīge　nǐ　ma　wǒ

3. 照相　了　小李　三张

   zhàoxiàng　le　Xiǎo Lǐ　sānzhāng

4. 操心　为　大家　他

   cāoxīn　wèi　dàjiā　tā

5. 读书　在　她　大学　了　三年

dúshū zài tā dàxué le sānnián

三、纠错：

Correct the errors in these sentences：

1. 下午我想说话你。

Xiàwǔ wǒ xiǎng shuōhuà nǐ.

2. 张明1978年结婚她。

Zhāngmíng 1978 nián jiēhūn tā.

3. 她上午有三个开会。

Tā shàngwǔ yǒu sān ge kāihuì.

4. 我们五个人打的一个不够。

Wǒmen wǔ ge rén dǎdī yī ge bù gòu.

5. 天很黑,你们走路留神一点儿。

Tiān hěn hēi, nǐmen zǒulù liúshén yīdiǎnr.

6. 周末去长城散心散心。

Zhōumò qù Cháng Chéng sànxīn sànxīn.

7. 他和小姐握手了握手。

Tā hé xiǎojie wòshǒu le wòshǒu.

8. 我们大家都投票你。

Wǒmen dàjiā dōu tóupiào nǐ.

9. 他对这件事生气很大。

Tā duì zhè jiàn shì shēngqì hěn dà.

10. 王师傅十五年开车了。

Wáng shīfu shíwǔ nián kāichē le.

十五 形容词重叠

Chapter 15 ADJECTIVE REDUPLICATION

汉语中有一部分形容词是可以重叠的,形容词重叠总的来说具有使句子更生动的修辞意义。

Some adjectives in Chinese can be used in a reduplicated form. In general, reduplicated adjectives function rhetorically to convey a sense of vividness.

(1) 形容词重叠有两种情况:

Two forms of reduplicated adjectives

AABB(AA):

胖胖	小小	短短
pàngpàng	xiǎoxiǎo	duǎnduǎn
高高大大	红红绿绿	瘦瘦小小
gāogāo – dàdà	hónghóng – lǜlǜ	shòushòu – xiǎoxiǎo
高高兴兴	漂漂亮亮	客客气气
gāogāo – xìngxìng	piàopiao – liàngliàng	kèke – qìqì

ABAB:

雪白雪白	闷热闷热	细长细长
xuěbái xuěbái	mēnrè mēnrè	xìcháng xìcháng

偏误:Errors:

* 她今天穿得漂亮漂亮的。

　Tā jīntiān chuān de piàoliang piàoliang de.

* 他总是犹豫犹豫,什么事也做不成。

　Tā zǒngshì yóuyù yóuyù, shénme shì yě zuò bù chéng.

* 她穿了件雪雪白白的衣服。

Tā chuānle jiàn xuěxuě – báibái de yīfu.

(2) 形容词重叠不受表示程度和否定的副词修饰，也不能用作比较。

Reduplicated adjectives cannot be modified by adverbs of degree or negative adverbs, and cannot be used in comparisons.

偏误：Errors：

* 他家里不干干净净。

Tā jiā li bù gāngān – jìngjìng.

* 今天很暖暖和和。

Jīntiān hěn nuǎnnuǎn – huōhuō.

* 上海的街道比北京的街道窄窄小小。

Shànghǎi de jiēdào bǐ Běijīng de jiēdào zhǎizhǎi – xiǎoxiǎo.

(3) 形容词重叠的意义。

Functions of reduplicated adjectives.

A. 程度加强。

To intensify the degree.

1. 她有一头黑黑长长的头发。

Tā yǒu yī tóu hēihēi – chángcháng de tóufa.

2. 他说话时总是客客气气的。

Tā shuōhuà shí zǒngshì kèke – qīqī de.

3. 她穿了条雪白雪白的裙子。

Tā chuānle tiáo xuěbái xuěbái de qúnzi.

4. 她家里收拾得整整齐齐。

Tā jiā li shōushi de zhěngzhěng – qíqí.

B. 重叠后表达更生动。

To add a sense of vividness.

1. 大家高高兴兴地过春节。

220

Dàjiā gāogāoxìngxìng de guò chūnjié.

2. 她今天穿得漂漂亮亮地去公园。

Tā jīntiān chuān de piàopiaoliāngliāng de qù gōngyuán.

3. 短短几个月,她的汉语就说得不错了。

Duǎnduǎn jǐ ge yuè, tā de Hànyǔ jiù shuō de bùcuò le.

4. 屋子里空空的,什么也没有了。

Wūzi li kōngkōng de, shénme yě méiyǒu le.

C.两个意义相反的形容词重叠合用表示复杂多样。

Two pairs of reduplicated adjectives with contrary meanings can sometimes be placed in succession to indicate complexity or diversity.

1. 老老少少来了十几个人。

Lǎolǎoshàoshào láile shí jǐ ge rén.

2. 晚上,到处都是红红绿绿的彩灯。

Wǎnshang, dàochù dōu shì hónghónglùlù de cǎidēng.

3. 头发长长短短的,很不整齐。

Tóufa chángchángduǎnduǎn de, hěn bù zhěngqí.

4. 路面高高低低,不太好走。

Lùmiàn gāogāodīdī, bù tài hǎozǒu.

练 习
Exercise

一、写出以下形容词的重叠方式:

Write the reduplicated form of the following adjectives.

1. 快乐 kuàilè

2. 干净 gānjìng

3. 漂亮 piàoliang

4. 冰冷 bīnglěng

5. 凉快 liángkuai

6. 热闹 rènao

7. 亲热 qīnrè

8. 鲜红 xiānhóng

二、改正句子里的错误：

Correct the errors：

1. 同学们很高高兴兴地旅游去了。

  Tóngxuémen hěn gāogāoxìngxìng de lǚyóu qù le.

2. 房间被她打扫得干净。

  Fángjiān bèi tā dǎsǎo de gānjìng.

3. 骑自行车去，很方方便便。

  Qí zìxíngchē qù, hěn fāngfāngbiànbiàn.

4. 这儿的风景真美美丽丽。

  Zhèr de fēngjǐng zhēn měiměilìlì.

5. 轻一推，门就开了。

  Qīng yì tuī, mén jiù kāi le.

6. 请说清清楚楚这句话的意思。

  Qǐng shuō qīngqīngchǔchǔ zhè jù huà de yìsi.

7. 他把皮鞋擦得亮的。

  Tā bǎ píxié cā de liàng de.

8. 孩子洗完澡，干净干净的。

  Háizi xǐ wán zǎo, gānjìnggānjìng de.

9. 这把椅子，坐着特别舒舒服服。

  Zhè bǎ yǐzi, zuò zhe tèbié shūshūfúfú.

10. 那儿的字写得很大，我们看得清楚清楚的。

   Nàr de zì xiě de hěn dà, wǒmen kàn de qīngchuqīngchu de.

三、阅读并翻译下面的短文,在需要的地方将形容词替换成适当的重叠形式:

Read and translate the following passage, changing the adjectives into reduplicated forms when appropriate:

我朋友是翻译,在法国大使馆工作。她个子很高,眼睛很大,戴着一付黑边儿眼镜。她说话的时候,总是很慢,你可以听得很清楚。我朋友很聪明,工作很努力,不管遇到什么困难,她总是很高兴地对待,不生气,也不着急,所以同事们都喜欢跟她一起工作。

如果你在法国大使馆看见一个穿得很干净,很漂亮,戴眼镜的中国小姐,我想那一定是我的朋友,因为法国大使馆里只有一个女翻译。

Wǒ péngyou shì fānyì, zài Fǎguó dàshǐguǎn gōngzuò. Tā gèzi hěn gāo, yǎnjing hěn dà, dài zhe yīfù hēibiānr yǎnjìng. Tā shuōhuà de shíhou, zǒngshì hěn màn, nǐ kěyǐ tīng de hěn qīngchu. Wǒ péngyou hěn cōngming, gōngzuò hěn nǔlì, bùguǎn yùdào shénme kùnnán, tā zǒngshì gāogāoxìngxìng de duìdài, bù shēngqì, yě bù zháojí, suǒyǐ tóngshìmen dōu xǐhuan gēn tā yīqǐ gōngzuò.

Rúguǒ nǐ zài Fǎguó dàshǐguǎn kànjiàn yīge chuān de hěn gānjìng, hěn piàoliang, dài yǎnjìng de Zhōngguó xiǎojie, wǒ xiǎng nà yīdìng shì wǒ de péngyou, yīnwèi Fǎguó dàshǐguǎn li zhǐyǒu yīge nǚ fānyì.

十六 动词重叠

Chapter 16 VERB REDUPLICATION

(一) 汉语中的一部分动词有重叠形式。

Many Chinese verbs can be used in reduplicated form.

可以重叠的动词包括：

Verbs that can be reduplicated include：

1）表示动作，行为的动词可以重叠。

Verbs expressing actions or behaviors.

看—看看	收拾—收拾收拾
kàn—kànkan	shōushi—shōushi shōushi
洗—洗洗	修理——修理修理
xǐ—xǐxǐ	xiūlǐ—xiūlǐ xiūlǐ
玩—玩玩	练习—练习 练习
wán—wánwán	liànxí—liànxí liànxí

2）表示积极思维活动的动词可以重叠。

Verbs expressing active mental activities.

想—想想	考虑—考虑考虑
xiǎng—xiǎngxiǎng	kǎolǜ—kǎolǜ kǎolǜ
启发—启发启发	分析—分析分析
qǐfā—qǐfāqǐfā	fēnxi—fēnxi fēnxi

3）不能重叠的动词包括：

Verbs that cannot be reduplicated are：

表示心理活动的动词，如"怕，喜欢，爱，嫉妒……"

A. Verbs expressing mental states, such as "pà, xǐhuān, ài, jìdù etc."

表示发展变化的动词，如"生，发展，开始，结束……"

B. Verbs indicating inherent changes or developments, such as "shēng, fāzhǎn, kāishǐ, jiéshù, etc."

表示存在，判断，状态的动词，如"在，是，像，有，断……"

C. Verbs indicating existence, judgement, possession, etc, such as "zài, shì, xiàng, yǒu, duàn"

表示趋向的动词，如"起，过，出，进，回……"

D. Verbs showing direction, such as "qǐ, guò, chū, jìn, huí, etc."

（二）重叠的形式。

Formulas of the reduplicated verbs.

单音节动词：	AA	A一A	A了A	A了一A
双单节动词：	ABAB	AB了AB		
离合词：	AAB	A了AB		

Monosyllable：	AA	A *yi* A	A *le* A	A *leyi* A
Bisyllable：	ABAB	AB *le* AB		
Separable word：	AAB	A *le* AB		

1. 我想到河边走走。

　　Wǒ xiǎng dào hébiān zǒuzou.

2. 瞧一瞧，看一看，又便宜又好。

　　Qiáo yi qiáo, kàn yi kàn, yòu piányi yòu hǎo.

3. 他试了试就买下来了。

　　Tā shì le shì jiù mǎi xiàlai le.

4. 我数了一数，一共三百块钱。

　　Wǒ shǔ le yī shǔ, yīgòng sānbǎi kuài qián.

5. 一起去吧，你也认识认识这位先生。

　　Yìqǐ qù ba, nǐ yě rènshi rènshi zhè wèi xiānsheng.

6. 今天我休息，在家收拾了收拾房间。

　　Jīntiān wǒ xiūxi, zài jiā shōushi le shōushi fángjiān.

7. 老头每天下下棋，散散步，聊聊天，别的都不管。

　　Lǎotóu měitiān xiàxia qí, sànsan bù, liáoliao tiān, biéde dōu bù guǎn.

(三) 动词重叠式的意义。

Meaning of reduplicated verbs.

(1) 表示动作反复次数少，时间短，句子语气比较缓和。

Implies that the action is repeated only a few times, or is short in duration. A sentence with a reduplicated verb often has a softer tone than if the verb is not reduplicated.

1. 进来以前请先敲敲门。

　　Jìnlái yǐqián qǐng xiān qiāoqiao mén.

2. 她在这儿没什么事做就学学中文。

　　Tā zài zhèr méi shénme shì zuò jiù xuéxue Zhōngwén.

3. 去年春天，我去杭州玩了玩。

　　Qùnián chūntiān, wǒ qù Hángzhōu wánrle wánr.

4. 他们在公园里照了照相，看了看风景。

Tāmen zài gōngyuán li zhào le zhào xiàng, kàn le kàn fēngjǐng.

（2）表示惯常，即次数多但程度轻。

Implies a habitual action, i. e., one that happens often, but each iteration is of limited duration.

1. 有空的时候，她喜欢唱唱歌，跳跳舞。

　　Yǒu kòng de shíhou, tā xǐhuan chàngchang gē, tiàotiao wǔ.

2. 早晨起来跑跑步，做做操，对身体有好处。

　　Zǎochén qǐlái pǎopao bù, zuòzuò cāo, duì shēntǐ yǒu hǎochù.

3. 他才二十多岁，就每天养养鸟，种种花，不想去工作。

　　Tā cái èrshí duō suì, jiù měitiān yǎngyang niǎo, zhòngzhong huā, bù xiǎng qù gōngzuò.

4. 她很爱干净，经常擦擦桌子，扫扫地。

　　Tā hěn ài gānjing, jīngcháng cāca zhuōzi, sǎosao dì.

（3）表示尝试。

Implies an attempt or trial.

1. 这个收音机坏了，不信你听听。

　　Zhè ge shōuyīnjī huài le, bù xìn nǐ tīngting.

2. 他尝了尝，挺香。

　　Tā cháng le cháng, tǐng xiāng.

3. 我摸了摸，还行，不烫。

　　Wǒ mō le mō, hái xíng, bù tàng.

4. 他试了试这件衣服，太大了。

　　Tā shì le shì zhè jiàn yīfu, tài dà le.

（四）在有的情况下不能用动词重叠。

In certain circumstances, reduplicated verbs cannot be used.

（1）不能作定语。

A reduplicated verb cannot be used as attributive.

偏误:Errors:

* 他是教教汉语的老师。

　　Tā shì jiāojiao Hànyǔ de lǎoshī.

* 旁边的屋子里有休息休息的人,别大声吵。

　　Pángbiān de wūzi li yǒu xiūxi xiūxi de rén,bié dàshēng chǎo.

* 这是一个整天玩玩的孩子。

　　Zhè shì yī ge zhěngtiān wánwán de háizi.

(2)不能作状语。

A reduplicated verb cannot be used as adverbial adjunct.

偏误:Errors:

* 咱们走走着去商店吧。

　　Zánmen zǒuzouzhe qù shāngdiàn ba.

* 他喜欢看看着电视吃饭。

　　Tā xǐhuan kànkanzhe diànshì chīfàn.

* 老师称赞称赞地点点头。

　　Lǎoshī chēngzàn chēngzàn de diǎndian tóu.

(3)不能表示正在进行的动作。

A reduplicated verb cannot be used for actions in progress.

偏误:Errors:

* 别进去,孩子正在写写作业呢。

　　Bié jìnqu,háizi zhèngzài xiěxiě zuòyè ne.

* 他回来的时候我正在扫扫地。

　　Tā huílai de shíhou wǒ zhèngzài sǎosao dì.

* 我在看看报,他在浇浇花,孩子在玩玩。

　　Wǒ zài kànkan bào,tā zài jiāojiao huā,háizi zài wánwan.

练 习
Exercise

一、用适当的动词重叠填空：

Fill in the blanks with appropriate reduplicated verbs.

1. 你在这儿_____，他马上就来。

    Nǐ zài zhèr _____, Tā mǎshàng jiù lái.

2. 我一个人拿不了这么多东西，你_____我吧。

    Wǒ yī ge rén ná bu liǎo zhème duō dōngxi, nǐ _____ wǒ ba.

3. 你来_____，我做的鱼好不好吃？

    Nǐ lái _____, wǒ zuò de yú hǎochī bu hǎochī?

4. 汽车坏了，我得送汽车厂去_____。

    Qìchē huài le, wǒ děi sòng qìchē chǎng qù _____.

5. 把这个好消息告诉他吧，让他也_____。

    Bǎ zhè ge hǎo xiāoxi gàosu tā ba, ràng tā yě _____.

6. 他_____头说："我同意。"

    Tā _____ tóu shuō: "Wǒ tóngyì."

7. 阿姨，地毯脏了，_____吧。

    Āyí, dìtǎn zāng le, _____ ba.

8. 这个录音带我_____就还给你。

    Zhè ge lùyīndài wǒ _____ jiù huán gěi nǐ.

9. 早晨_____操，对身体有好处。

    Zǎochen _____ cāo, duì shēntǐ yǒu hǎochu.

10. 房间太乱了，咱们_____吧。

    Fángjiān tài luàn le, zánmen _____ ba.

229

二、改正句子中的错误：

Correct the mistakes in the following sentences:

1. 我正在修理修理电灯，他进来了。

   Wǒ zhèngzài xiūlǐ xiūlǐ diàndēng, tā jìnlái le.

2. 他洗洗过盘子，就去烫衣服了。

   Tā xǐxi guo pánzi, jiù qù tàng yīfu le.

3. 刚才写写的那封信，寄了没有？

   Gāngcái xiěxie de nà fēng xìn, jì le méiyǒu?

4. 司机等一等他半个小时。

   Sījī děng yi děng tā bàn ge xiǎoshí.

5. 学习学习游泳的时候，一定要有耐心。

   Xuéxí xuéxí yóuyǒng de shíhou, yīdìng yào yǒu nàixīn.

三、用下面的词造句：

Make sentences with the following words:

1. 问问　　　　wènwen
2. 整理整理　　zhěnglǐ zhěnglǐ
3. 尝一尝　　　cháng yi cháng
4. 找一找　　　zhǎo yi zhǎo
5. 数一数　　　shǔ yi shǔ

四、阅读下面的短文，在适当的地方，用动词重叠替换动词：

Read the following paragraph, replacing the verbs with reduplicated verbs when appropriate:

今天是星期天，上午我没有出门，在家听音乐、看书、洗衣服、收拾房间，时间过得也很快。我看了表，才知道已经中午12点了。我的先生还在睡觉，我敲了他的门，叫他起来，因为下午我们要去一个朋友家，他得赶快洗澡、刮胡子，准备一下。

Jīntiān shì xīngqītiān, shàngwǔ wǒ méiyǒu chūmén, zài jiā tīng yīnyuè , kàn shū, xǐ yīfu , shōushi fángjiān, shíjiān guò de yě hěn kuài. Wǒ kàn le biǎo, cái zhīdào yǐjīng zhōngwǔ 12 diǎn le. Wǒ de xiānsheng hái zài shuìjiào, wǒ qiāo le tā de mén, jiào tā qǐlái, yīnwèi xiàwǔ wǒmen yào qù yī ge péngyou jiā, tā děi gǎnkuài xǐzǎo, guā húzi, zhǔnbèi yīxià.

十七 语气助词"呢"和"吧"

Chapter 17 THE MODAL PARTICLES "NE" and "BA"

（一）语气助词"呢"的用法

The modal particle "ne"

(1) 用于正反疑问句尾，表示不肯定，比没有"呢"的问句语气缓和。

"Ne" is used at the end of an affirmative-negative question to express uncertainty. This kind of sentence is less abrupt than a sentence without "ne".

1. 你明天去不去呢？

   Nǐ míngtiān qù bu qù ne?

2. 你还买不买那房子呢？

   Nǐ hái mǎi bu mǎi nà fángzi ne?

3. 他能不能做那个工作呢？

   Tā néng bu néng zuò nà ge gōngzuò ne?

(2) 用于有疑问代词的问句后，表示猜疑，比没有"呢"的问句语气缓和。

"Ne" is used at the end of a question with an interrogative pronoun to express a tone of conjecture. This kind of sentence is less abrupt than a sentence without "ne".

1. 这是为什么呢？

   Zhè shì wèishénme ne?

2. 那是谁的书包呢？

232

Nà shì shuí de shūbāo ne?

3. 我们先作哪件事呢？

Wǒmen xiān zuò nǎ jiàn shì ne?

（3）用于选择疑问句句尾，表示疑问。"呢"有缓和语气的作用。

"Ne" is used at the end of an alternative choice question to express interrogation. "Ne" can soften the tone of the sentence.

1. 你喜欢红色的还是喜欢白色的呢？

Nǐ xǐhuan hóngsè de háishì xǐhuan báisè de ne?

2. 这种水果是甜的还是酸的呢？

Zhè zhǒng shuǐguǒ shì tián de háishì suān de ne?

3. 你喜欢文科还是理科呢？

Nǐ xǐhuan wénkē háishì lǐkē ne?

（4）用在名词、代词等后，表示疑问。

"Ne" is used after a noun or a pronoun to express interrogation.

1. 昨天我去了海边，你呢？

Zuótiān wǒ qù le hǎibiān, nǐ ne?

2. 他学习法文，你呢？

Tā xuéxí Fǎwén, nǐ ne?

3. 这是我的书，他的呢？

Zhèshì wǒ de shū, tā de ne?

（5）用于陈述句尾，表示动作或情况正在进行或持续。

"Ne" is used at the end of a statement to indicate the continuation or the progression of an action or a state.

1. 老师等你呢。

Lǎoshī děng nǐ ne.

2. 他们在上课呢。

Tāmen zài shàngkè ne.

3.你听,刮风呢。

　　Nǐ tīng,guāfēng ne.

(6) 在陈述句中,用"呢"表示句中停顿并连接上下文。

"Ne" is used in a statement to indicate a pause and to link a sentence to the previous context.

1.那本书我看了,我不懂。他呢,也看了,也不懂。

　　Nà běn shū wǒ kàn le,wǒ bù dǒng. Tā ne,yě kàn le,yě bù dǒng.

2.你想怎么去? 骑车呢,你不会;坐车呢,你头晕。

　　Nǐ xiǎng zěnme qù? Qí chē ne,nǐ bù huì;zuò chē ne ,nǐ tóu yūn.

3.去海南度假,机票太贵。去北戴河呢,也太没意思了,都去过五次了。

　　Qù Hǎinán dùjià,jīpiào tài guì. Qù Běidàihé ne,yě tài méi yìsi le,dōu qùguo wǔ cì le.

(二) 语气助词"吧"的用法

The modal particle "ba"

(1) 用于陈述句尾,表示请求、命令、商量或提议。

"Ba" is used at the end of a statement to express request, command, consultation or proposal.

1.你帮帮他吧。

　　Nǐ bāngbang tā ba.

2.你们出发吧。

　　Nǐmen chūfā ba.

3.你再想想吧。

　　Nǐ zài xiǎngxiang ba.

4.我们还是去吧。

　　Wǒmen háishi qù ba.

(2) 用于陈述句尾,表示同意。

"Ba"is used at the end of a statement to show concession or approval.

1. 好吧，就这样吧。

　　Hǎo ba, jiù zhèyàng ba.

2. 你们去吧，自己保重就是了。

　　Nǐmen qù ba, zìjǐ bǎozhòng jiùshì le.

3. 方法是对的，就这样作吧。

　　Fāngfǎ shì duì de, jiù zhèyàng zuò ba.

（3）用于陈述句尾，表示不能完全肯定，所以用问号，但语气比一般问句缓和。

"Ba"is used at the end of a statement to express that the speaker has a suspicion, surmisal, or estimation of something but is not certain. These sentences are usually written with a question mark, but their tone is more attenuated than that of a direct question.

1. 你说的不对吧？

　　Nǐ shuō de bùduì ba?

2. 昨天他没来吧？

　　Zuótiān tā méi lái ba?

3. 这是你的字典吧？

　　Zhè shì nǐ de zìdiǎn ba?

练　习
Exercise

一、比较下列句子：

Compare the following sentences:

1. 后天你去不去广州？

Hòutiān nǐ qù bu qù Guǎngzhōu?

后天你去不去广州呢?

Hòutiān nǐ qù bu qù Guǎngzhōu ne?

2. 你能不能按时完成这个工作?

Nǐ néng bu néng ànshí wánchéng zhège gōngzuò?

你能不能按时完成这个工作呢?

Nǐ néng bu néng ànshí wánchéng zhège gōngzuò ne?

3. 我们选择哪种方法?

Wǒmen xuǎnzé nǎ zhǒng fāngfǎ?

我们选择哪种方法呢?

Wǒmen xuǎnzé nǎzhǒng fāngfǎ ne?

4. 这是谁的?

Zhè shì shuí de?

这是谁的呢?

Zhè shì shuí de ne?

5. 这种机器是上海生产的还是广州生产的?

Zhè zhǒng jīqì shì Shànghǎi shēngchǎn de háishi Guǎngzhōu
shēngchǎn de?

这种机器是上海生产的呢,还是广州生产的呢?

Zhèzhǒng jīqì shì Shànghǎi shēngchǎn de háishi Guǎngzhōu
shēngchǎn de ne?

6. 张经理在等你。

Zhāngjīnglǐ zài děng nǐ.

张经理在等你呢。

Zhāngjīnglǐ zài děng nǐ ne.

二、用带"呢"的短句,完成下列句子:

Complete the following using short sentences with "ne":

1. 我们明天去西安旅行,_____?

   Wǒmen míngtiān qù Xī'ān lǚxíng, _____?

2. 我的书被雨水淋湿了,_____?

   Wǒ de shū bèi yǔshuǐ línshī le, _____?

3. 坐火车从北京到昆明时间太长,_____,又太贵了。

   Zuò huǒchē cóng Běijīng dào Kūnmíng shíjiān tài cháng,

   _____, yòu tài guì le.

4. 那篇文章我看了,不怎么好,_____,也有很多问题。

   Nà piān wénzhāng wǒ kàn le, bù zěnme hǎo, _____ yě yǒu

   hěnduō wèntí.

5. 这个学校的学生种了很多树,_____?

   Zhège xuéxiào de xuésheng zhòngle hěnduō shù, _____?

三、翻译句子:

Translate into English:

1. 我们再讨论讨论吧。

   Wǒmen zài tǎolùn tǎolùn ba.

2. 天气太热了,把空调开开吧。

   Tiānqì tài rè le, bǎ kōngtiáo kāikai ba.

3. 从这儿走,方向是对的,试试看吧。

   Cóng zhèr zǒu, fāngxiàng shì duì de, shìshi kàn ba.

4. 你明天不上班吧?

   Nǐ míngtiān bù shàngbān ba?

5. 这月的工资我们还没花完吧?

   Zhè yuè de gōngzī wǒmen hái méi huā wán ba?

6. 他现在很困难,我们去帮帮他吧。

Tā xiànzài hěn kùnnán, wǒmen qù bāngbang tā ba?

7. 好吧，我们回去吧。

Hǎo ba, wǒmen huíqu ba.

8. 那个房子不买了吧？

Nà ge fángzi bù mǎi le ba?

十八 "能"、"会"和"可以"

Chapter 18 "NÉNG", "HUÌ" and "KĚYĬ"

(一)"能,会,可以"是能愿动词,也叫助动词,帮助动词表示需要,可能或愿望。

"néng", "huì", "kěyǐ" are modal verbs. They are also called auxiliary verbs, because they assist verbs in expressing meanings such as need, possibility, or wish.

(1) 能 néng

A. 表示具备某种能力。

Expressing capability.

1. 他能听懂上海话。

   Tā néng tīngdǒng Shànghǎihuà.

2. 她一顿能吃三碗饭。

   Tā yī dùn néng chī sān wǎn fàn.

3. 他能不能不开公共汽车?

   Tā néng bu néng kāi gōnggòng qìchē?

4. 他很谦虚,能接受别人的意见。

   Tā hěn qiānxū, néng jiēshòu biéren de yìjiàn.

B. 表示客观环境或情理上许可。

Expressing possibility (in the sense of something permitted by objective conditions or by what is reasonable or appropriate).

1. 明天早上七点你能来吗?

   Míngtiān zǎoshang qī diǎn nǐ néng lái ma?

2. 对不起, 今天不能借书。

Duìbuqǐ, jīntiān bù néng jiè shū.

3. 我不能告诉你。

Wǒ bù néng gàosu nǐ.

4. 只有星期天全家才能聚在一起。

Zhǐyǒu xīngqītiān quánjiā cái néng jù zài yīqǐ.

(2) 会 huì

A. 表示经过学习, 掌握了某种技能。

Meaning that a certain skill is acquired through study or practice.

1. 大卫会用筷子。

Dàwèi huì yòng kuàizi.

2. 我会骑自行车, 可是不会骑三轮车。

Wǒ huì qí zìxíngchē, kěshì bù huì qí sānlúnchē.

3. 老王很会买东西。

Lǎowáng hěn huì mǎi dōngxi.

4. 会不会打扮, 一看就知道。

Huì bu huì dǎbàn, yī kàn jiù zhīdào.

B. 表示有可能。

Expressing likelihood.

1. 已经八点了, 他还会来吗?

Yǐjīng bā diǎn le, tā hái huì lái ma?

2. 看来不会再下雨了。

kànlái bù huì zài xiàyǔ le.

3. 已经修好了, 不会再坏了。

Yǐjīng xiūhǎo le, bù huì zài huài le.

4. 不穿大衣就出去会生病的。

Bù chuān dàyī jiù chūqu huì shēng bìng de.

240

(3) 可以 kěyǐ

A. 表示能够

Expressing can (in the sense that something can be possibly be caused as a result).

1. 学习汉字可以发展孩子的智力。

   Xuéxí Hànzì kěyǐ fāzhǎn háizi de zhìlì.

2. 她学了一年汉语，现在可以听，但还看不懂。

   Tā xuéle yī nián Hànyǔ, xiànzài kěyǐ tīng, dàn hái kàn bu dǒng.

3. 下雪了，可以堆雪人了。

   Xià xuě le, kěyǐ duī xuěrén le.

4. 这个可以当书签用。

   Zhè ge kěyǐ dāng shūqiān yòng.

B. 表示许可。

Indicating permission。

1. 请问，我可以走了吗？

   Qǐng wèn, wǒ kěyǐ zǒule ma?

2. 这儿可以不可以吸烟？

   Zhèr kěyǐ bù kěyǐ xī yān?

3. 你可以把这本书带走，但明天一定要还给我。

   Nǐ kěyǐ bǎ zhè běn shū dài zǒu, dàn míngtiān yīdìng yào huángěi wǒ.

4. 女生可以进男生宿舍楼，男生不可以进女生宿舍楼。

   Nǚshēng kěyǐ jìn nánshēng sùshè lóu, nánshēng bù kěyǐ jìn nǚshēng sùshè lóu.

(二) 近义词辨析

Discrimination of synonyms.

(1) "能"和"会"

"néng" and "huì"

A. 初次学会某种动作或技术, 可以用"会"也可以用"能", 但以"会"为多; 恢复某种能力, 只能用"能", 不能用"会"。

The first time someone learns a skill, action, etc., both "néng" and "huì" can be used, but more often "huì"; while to express that some capability is regained, only "néng" can be used.

我病好了, 能劳动了。

Wǒ bìng hǎo le, néng láodòng le.

偏误: Errors:

＊我病好了, 会劳动了。

＊Wǒ bìng hǎo le, huì láodòng le.

B. 表示具备某种能力, 可以用"能", 可以用"会"; 表示达到某种效率, 只能用"能", 不能用"会"。

Either "néng" or "huì" can be used to express the possession of an ability, but only "néng" can express the attainment of a certain level of efficiency.

小李能(会)打字, 一分钟能打三百多字。

Xiǎo Lǐ néng(huì)dǎzì, yī fēnzhōng néng dǎ sānbǎi duō zì.

偏误: Errors:

＊小李能(会)打字, 一分钟会打三百多字。

Xiǎo Lǐ néng(huì)dǎzì, yī fēnzhōng huì dǎ sānbǎi duō zì.

C. 表示"有可能", 可以用"能"也可以用"会"。

When indicating likelihood, both "néng" and "huì" can be used.

她能找到男朋友吗? (她的条件和客观情况许可吗?)

Tā néng zhǎodào nán péngyou ma?（Will her personal circumstances and objective conditions permit it?）

她会找到男朋友吗?（找到男朋友这件事会发生吗?）

Tā huì zhǎodào nán péngyou ma?（Can it happen that she finds a boy friend?）

(2)"能"和"可以"

"néng" and "kěyǐ"

A."能"以表示能力为主,"可以"以表示可能性为主,"可以"有时也表示有能力做某事,但不能表示善于做某事。

"Néng" more often indicates capability, while "kěyǐ" more often indicates possibility.

他很能吃,一顿能吃四大碗饭。

Tā hěn néng chī, yī dùn néng chī sì dà wǎn fàn.

偏误:Error:

＊他很可以吃,一顿能吃四大碗饭。

Tā hěn kěyǐ chī, yī dùn néng chī sì dà wǎn fàn.

B."能"可以表示有某种客观的可能性,"可以"不行。

"Néng" sometimes indicates objective possibility, while "kěyǐ" cannot.

这么晚了,他还能来吗?

Zhème wǎn le, tā hái néng lái ma?

偏误:Error:

＊这么晚了,他还可以来吗?

Zhème wǎn le, tā hái kěyǐ lái ma?

C."能"可以和"愿意"连用,可以不行。

"néng" can be used together with "yuànyì",

while "kěyǐ" cannot.

你不让他去,他能愿意吗?

243

Nǐ bù ràng tā qù, tā néng yuànyì ma?

偏误：Error：

* 你不让他去，他可以愿意吗？

　Nǐ bù ràng tā qù, tā kěyǐ yuànyì ma?

（4）"不能不"常用，"不可以不"很少用，"不可不"只用在书面。

"bù néng bù" is often used, while "bù kěyǐ bù"is seldom used; "bù kě bù"is used only in written form.

练　习
Exercise

一、回答问题，用上"能，会，可以"中的任何一个：

Answer the questions, using "néng", "huì" or "kěyǐ"：

1. 你一顿饭吃几碗米饭？

　　Nǐ yī dùn fàn chī jǐ wǎn mǐfàn?

2. 你会开车吗？

　　Nǐ huì kāi chē ma?

3. 走了？你去哪儿？

　　Zǒu le? Nǐ qù nǎr?

4. 慢跑有什么好处？

　　Màn pǎo yǒu shénme hǎochu?

5. 请问，今天可以参观吗？

　　Qǐng wèn, jīntiān kěyǐ cānguān ma?

6. 在中国，一对夫妇生几个孩子？

　　Zài Zhōngguó, yī duì fūfù shēng jǐ ge háizi?

7. 你的中文怎么样了？

　　Nǐ de Zhōngwén zěnmeyàng le?

8. 明天天气怎么样？

Míngtiān tiānqì zěnmeyàng?

二、选择题(选择合适的翻译):

Choose the correct translation：

1. He can understand what you say.

   A. 他能听懂你说的话。

      Tā néng tīngdǒng nǐ shuō de huà.

   B. 他会听懂你说的话。

      Tā huì tīngdǒng nǐ shuō de huà.

2. He will understand what you say.

   A. 他能听懂你的说话。

      Tā néng tīng dǒng nǐ shuō de huà.

   B. 他会听懂你说的话。

      Tā huì tīng dǒng nǐ shuō de huà.

3. They will not come, because they have a small baby.

   A. 他们不能来,因为他们有很小的孩子。

      Tāmen bù néng lái, yīnwèi tāmen yǒu hěn xiǎo de háizi.

   B. 他们不会来的,因为他们有很小的孩子。

      Tāmen bù huì lái de, yīnwèi tāmen yǒu hěn xiǎo de háizi.

4. My sister knows how to knit.

   A. 我姐姐会织毛衣。

      Wǒ jiějie huì zhī máoyī.

   B. 我姐姐能织毛衣。

      Wǒ jiějie néng zhī máoyī.

5. We shouldn't waste time.

   A. 我们不会浪费时间。

      Wǒmen bù huì làngfèi shíjiān.

   B. 我们不能浪费时间。

Wǒmen bù néng làngfèi shíjiān.

6. You will become a teacher.

   A. 你能做一个老师。

      Nǐ néng zuò yī ge lǎoshī.

   B. 你会做一个老师。

      Nǐ huì zuò yī ge lǎoshī.

7. It could be very difficult for you.

   A. 这对你会很难。

      Zhè duì nǐ huì hěn nán.

   B. 这对你可能很难。

      Zhè duì nǐ kěnéng hěn nán.

8. —Can you drive?

   —No, I had some wine.

   A. —你会开车吗？

      —Nǐ huì kāi chē ma?

      —不会，我喝了酒。

      —Bùhuì, wǒ hē le jiǔ.

   B. —你可以开车吗？

      —Nǐ kěyǐ kāi chē ma?

      —不行，我喝了酒。

      —Bùxíng, wǒ hē le jiǔ.

9. They shouldn't let the children play with fire.

   A. 他们不会让孩子玩火。

      Tāmen bù huì ràng háizi wán huǒ.

   B. 他们不能让孩子玩火。

      Tāmen bù néng ràng háizi wán huǒ.

10. I wouldn't let such a thing happen.

   A. 我不能让这样的事发生。

Wǒ bù néng ràng zhèyàng de shì fāshēng.

B. 我不会让这样的事发生。

Wǒ bù huì ràng zhèyàng de shì fāshēng.

三、填空(用上"能，会，可以")：

Fill in the blanks(Use "néng", "kěyǐ", or "huì")：

1. 你_____听懂广东话吗？

Nǐ _____ tīngdǒng Guǎngdōng huà ma?

2. 大夫说我不_____生孩子。

Dàifu shuō wǒ bù _____ shēng háizi.

3. 天气预报说明天_____下雨。

Tiānqì yùbào shuō míngtiān _____ xiàyǔ.

4. 这种减肥药的说明书上说，吃了这种药_____不想吃饭。

Zhè zhǒng jiǎnféi yào de shuōmíng shū shang shuō, chī le zhè zhǒng yào _____ bù xiǎng chīfàn.

5. 我_____把这件事告诉你,但你不要告诉别人。

Wǒ _____ bǎ zhè jiàn shì gàosu nǐ, dàn nǐ bù yào gàosu biéren.

6. 要是你不愿意一个人来,也_____带你的朋友一起来。

Yào shi nǐ bù yuànyì yī ge rén lái, yě _____ dài nǐ de péngyou yīqǐ lái.

7. 小李很_____说话,人人都说他嘴甜。

Xiǎo Lǐ hěn _____ shuōhuà, rén rén dōu shuō tā zuǐ tián.

8. —老张_____不_____游泳？

Lǎo Zhāng _____ bù _____ yóuyǒng?

—他_____,可是不_____游,因为医生不让他游泳。

Tā _____, kěshì bù _____ yóu, yīnwèi yīshēng bù ràng tā yóuyǒng.

四、改错练习：

Correct the mistakes：

1. 他很能做人。

　　Tā hěn néng zuò rén.

2. 今天晚上星星很多，一点云也没有，明天肯定不能下雨。

　　Jīntiān wǎnshang xīngxing hěn duō, yī diǎn yún yě méiyǒu,

　　míngtiān kěndìng bù néng xiàyǔ.

3. 他会听英语，但不会说英语。

　　Tā huì tīng Yīngyǔ, dàn bù huì shuō Yīngyǔ.

4. 我已经吃饱了，不可以再吃了。

　　Wǒ yǐjīng chī bǎo le, bù kěyǐ zài chī le.

5. 我想学开车，你会教我吗？

　　Wǒ xiǎng xué kāi chē, nǐ huì jiāo wǒ ma?

6. 他刚来中国，还不能用筷子。

　　Tā gāng lái Zhōngguó, hái bù néng yòng kuàizi.

7. 我不太可以喝酒。

　　Wǒ bù tài kěyǐ hē jiǔ.

8. 我会开车，可是在北京不会开，因为我没有驾驶证（drive license）。

　　Wǒ huì kāi chē, kěshì zài Běijīng bù huì kāi, yīnwèi wǒ méiyǒu

　　jiàshǐzhèng.

9. 已经十点了，看样子他不可以来了。

　　Yǐjīng shídiǎn le, kàn yàngzi tā bù kěyǐ lái le.

五、翻译：

Translate the following sentences：

1. 老刘很会买东西。

　　Lǎo Liú hěn huì mǎi dōngxi.

2. 车不能停在这儿。

   Chē bù néng tíng zài zhèr.

3. 这张沙发可以当床用。

   Zhè zhāng shāfā kěyǐ dāng chuáng yòng.

4. 请问，这儿可以吸烟吗？

   Qǐng wèn, zhèr kěyǐ xīyān ma?

5. By which day can it be repaired?

6. Can I leave now?

7. Will it rain today?

8. Do you know how to cook Chinese food?

十九 "一点儿"和"有一点儿"

Chapter 19 "YĪDIǍNR" and "YǑU YĪDIǍNR"

"一点儿"是数词,用于名词前或形容词动词后,"有一点儿"是副词,用于形容词或少数动词前。口语中常省略"一"成为"点儿","有点儿"的形式,但"一点儿点儿"里的"一"则不可省。

"Yīdiǎnr" is an amount word used before a noun or after an adjective or verb. "Yǒu yīdiǎnr" is an adverb used before an adjective or some verbs. In spoken Chinese "yī" is often omitted, so we can say "diǎnr" and "yǒu diǎnr". "Yī" cannot however, be omitted in the expression "yīdiǎnr diǎnr".

(一)一点儿 yīdiǎnr

```
1. 一点儿 + 名词
   "yīdiǎnr" + noun
```

一点儿水	一点儿面包	一点儿声音
yīdiǎnr shuǐ	yīdiǎnr miànbāo	yīdiǎnr shēngyīn

一点儿东西
yīdiǎnr dōngxi

"点儿"可以重叠:

"diǎnr" can be reduplicated:

一点儿点儿颜色	一点儿点儿意思
yīdiǎnr diǎnr yánsè	yīdiǎnr diǎnr yìsi

例：Examples：

1. 为了减肥,她每天只吃一点儿饭。

   Wèi le jiǎnféi, tā měitiān zhǐ chī yīdiǎnr fàn.

2. 你喝(一)点儿水吧。

   Nǐ hē (yi)diǎnr shuǐ ba.

3. 这礼品你收下吧,这是一点儿点儿意思。

   Zhè lǐpǐn nǐ shōuxià ba, zhè shì yīdiǎn diǎnr yìsi.

注意：Note：

"一点儿"一般用于不可数名词前。

"yīdiǎnr"is usually used before an uncountable noun.

偏误：Errors：

* 在面粉里放牛奶一点儿。

* Zài miànfěn li fàng niúnǎi yīdiǎnr.

* 我会汉语一点儿。

* Wǒ huì Hànyǔ yīdiǎnr.

> **2.形容词 + (一)点儿**
>
> **adj. + ("yī") "diǎnr"**

好(一)点儿   冷(一)点儿   瘦(一)点儿

hǎo (yī)diǎnr   lěng (yī)diǎnr   shòu (yī)diǎnr

高兴(一)点儿

gāoxìng (yī)diǎnr

注意：Note：

"(一)点儿"在形容词之后有比较的意思。

In this pattern,"yīdiǎnr"shows comparison.

"点儿"可以重叠：

"diǎnr" can be reduplicated：

热一点儿点儿　　　好一点儿点儿

rè yīdiǎnr diǎnr　　hǎo yīdiǎnr diǎnr

例：Examples：

1. 近几天来他的身体好（一）点儿了。

　　Jìn jǐtiān lái tā de shēntǐ hǎo（yī）diǎnr le.

2. 现在天气暖和（一）点儿了

　　Xiànzài tiānqì nuǎnhuo（yī）diǎnr le.

3. 我给你照一张相，你自然一点儿。

　　Wǒ gěi nǐ zhào yī zhāng xiàng, nǐ zìrán yīdiǎnr.

偏误：Errors：

* 我不头疼了，一点儿舒服。

* Wǒ bù tóuténg le, yīdiǎnr shūfu.

* 我不吃蛋糕，我要一点儿瘦。

* Wǒ bù chī dàngāo, wǒ yào yīdiǎnr shòu.

> **3. 形容词 + 了 + （一）点儿**
>
> **adj. + "le" + （"yī"）"diǎnr"**

胖了（一）点儿　　　冷了（一）点儿

pàng le（yī）diǎn　　lěng le（yī）diǎn

累了（一）点儿　　　好了（一）点儿

lèi le（yī）diǎn　　hǎo le（yī）diǎn

"点儿"可以重叠：

"diǎnr"can be reduplicated：

脏了一点儿点儿　　　坏了一点儿点儿

zāng le yīdiǎnr diǎnr　huài le yīdiǎnr diǎnr

1. 那件衣服脏了一点儿点儿，看不出来。

　　Nà jiàn yīfu zāng le yīdiǎnr diǎnr, kàn bu chūlái.

2. 他今年瘦了点儿。

252

Tā jīnnián shòu le yīdiǎnr.

3. 他没有病，只是累了一点点儿，想休息。

　　Tā méiyǒu bìng, zhǐshì lèi le yīdiǎnr diǎnr, xiǎng xiūxi.

注意：Note：

此类形式表示变化或不符合某一标准。

This pattern may express either a change, or that something is not up to a certain standard.

偏误：Error：

* 今天比昨天一点儿冷了。

* Jīntiān bǐ zuótiān yīdiǎnr lěng le.

---

4. 一点儿＋一点儿(地)＋动词/形容词

"yīdiǎnr" + "yīdiǎnr" + ("di") verb/adj.

一点儿一点儿(地)走　　　　一点儿一点儿(地)学

yīdiǎnr yīdiǎnr (de) zǒu　　yīdiǎnr yīdiǎnr (de) xué

一点儿一点儿(地)爬　　　　一点儿一点儿(地)克服困难

yīdiǎnr yīdiǎnr (de) pá　　yīdiǎnr yīdiǎnr (de) kèfú kùnnán

一点儿一点儿(地)好了　　　一点儿一点儿(地)热起来

yīdiǎnr yīdiǎnr (de) hǎo le　　yīdiǎnr yīdiǎnr (de) rè qǐlái

例：Examples：

1. 手术后他一点儿一点儿地学走路。

　　Shǒushù hòu tā yīdiǎnr yīdiǎnr de xué zǒulù.

2. 他口齿不太清楚，要一点儿一点儿地练习。

　　Tā kǒuchǐ bù tài qīngchu, yào yīdiǎnr yīdiǎnr de liànxí.

3. 他们一点儿一点儿地克服困难，现在完成了任务。

　　Tāmen yīdiǎnr yīdiǎnr de kèfú kùnnán, xiànzài wánchéng le rènwù.

4. 她的病一点儿一点地好起来了。

　　Tā de bìng yīdiǎnr yīdiǎnr de hǎo qǐlái le.

注意：Note：

此类形式用在动词或形容词前有渐进的意思。

This pattern means that something advances step by step.

> **5.一点儿 + 也/都 + 不/没 + 动词/形容词**
>
> "yīdiǎnr" + "yě"/"dōu" + "bù"/"méi" + verb./adj.

1. 他一点儿也/都不想家。

    Tā yīdiǎnt yě/dōu bù xiǎng jiā.

2. 我一点儿也/都不爱你

    Wǒ yīdiǎnr yě/dōu bù ài nǐ.

3. 这机器一点儿也/都没坏。

    Zhè jīqì yīdiǎnr yě /dōu méi huài.

4. 那衣服一点儿也都不贵。

    Nà yīfu yīdiǎnr yě/dōu bù guì.

注意：Note：

此类形式表示完全否定。

This pattern means "not at all."

偏误：Errors：

* 这事他不知道一点儿。

* Zhè shì tā bù zhīdào yīdiǎnr.

* 我说的不错一点儿。

* Wǒ shuō de bù cuò yīdiǎnr

（二）有一点儿　yǒu yīdiǎnr

> **1.有一点儿 + 形容词**
>
> "yǒu" "yīdiǎnr" + adj.

有一点儿长

yǒu yīdiǎnr cháng

有一点儿忙

yǒu yīdiǎnr máng

有一点儿懒

yǒu yīdiǎnr lǎn

有一点儿马虎

yǒu yīdiǎnr mǎhu

"点儿"可以重叠：

"diǎnr" can be reduplicated：

有一点儿点儿脏

yǒu yīdiǎnr diǎnr zāng

有一点儿点儿难

yǒu yīdiǎnr diǎnr nán

例：Examples：

1. 这人不错，就是有一点儿马虎。

Zhè rén bù cuò, jiù shì yǒu yīdiǎnr mǎhu.

2. 他今天有一点儿忙，不能来了。

Tā jīntiān yǒu yīdiǎnr máng, bù néng lái le.

3. 那条裤子有一点儿短，你别穿了。

Nà tiáo kùzi yǒu yīdiǎnr duǎn, nǐ bié chuān le.

注意：Note：

"有一点儿"用在某些形容词前，有不太满意之意。

When "yǒu yīdiǎnr" is used in this pattern, it means "a bit" and expresses a degree of dissatisfaction.

偏误：Errors：

* 他的病有一点儿好。

* Tā de bìng yǒu yīdiǎnr hǎo.

* 这个菜有一点儿好吃。

* Zhè ge cài yǒu yīdiǎnr hǎo chī.

---

2. 有一点儿 + 动词/动词短语

"yǒu" "yīdianr" + verb/verb‑phrase

有一点儿浪费 有一点儿迷信

yǒu yīdiǎnr làngfèi yǒu yīdiǎnr míxìn

有一点儿难受 有一点儿头疼

yǒu yīdiǎnr nánshòu yǒu yīdiǎnr tóuténg

"点儿"可以重叠

"diǎnr" can be reduplicated：

有一点儿点儿伤心 有一点儿点儿感觉

yǒu yīdiǎnr diǎnr shāngxīn yǒu yīdiǎnr diǎnr gǎnjué

例：Examples：

1. 不吃完这些菜，有一点儿浪费。

Bù chīwán zhèxiē cài, yǒu yīdiǎnr làngfèi.

2. 他感冒了，有一点儿头疼。

Tā gǎnmào le, yǒu yīdiǎnr tóuténg.

偏误：Errors：

＊我头疼一点儿。

＊Wǒ tóuténg yīdiǎnr.

＊他一点儿感冒。

＊Tā yīdiǎnr gǎnmào.

练　习
Exercise

一、用"一点儿"或"有一点儿"填空：

Fill in the blanks with "yīdiǎnr" or "yǒu yīdiǎnr"：

1. 我想喝_____咖啡。

Wǒ xiǎng hē _____ kāfēi.

2. 我_____不舒服，可能感冒了。

Wǒ _____ bù shūfu, kěnéng gǎnmào le.

3. 请给花浇_____水。

Qǐng gěi huā jiāo _____ shuǐ.

4. 这个问题对我_____难。

Zhè ge wèntí duì wǒ _____ nán.

5. 他_____头疼,想休息一会儿。

Tā _____ tóuténg, xiǎng xiūxi yīhuìr.

6. 这条裙子你穿_____短。

Zhè tiáo qúnzi nǐ chuān _____ duǎn.

7. 最近他瘦了_____。

Zuìjìn tā shòu le _____.

8. 那件衣服脏了_____。

Nà jiàn yīfu zāng le _____.

9. 我们最近_____忙,上不了课。

Wǒmen zuìjìn _____ máng, shàng bu liǎo kè.

10. 你不吃_____蛋糕吗?

Nǐ bù chī _____ dàngāo ma?

二、选词填空:

Fill in the blanks with the appropriate words:

高兴　累　饭　冷　好

gāoxìng lèi fàn lěng hǎo

1. 他喝了一点儿点儿水,但吃了很多_____。

Tā hē le yīdiǎn diǎnr shuǐ, dàn chī le hěn duō fàn _____.

2. 听到这个消息,你_____一点儿了吧?

Tīngdào zhè ge xiāoxi, nǐ _____ yīdiǎnr le ba?

3. 今天有一点儿_____,你多穿一件毛衣吧。

Jīntiān yǒu yīdiǎnr _____, nǐ duō chuān yī jiàn máoyī ba.

4. 手术以后,他一点儿点儿地_____了起来。

Shǒushù yǐhòu, tā yīdiǎnr diǎnr de _____ le qǐlái.

5. 我有一点儿_____，不想去天坛了。

Wǒ yǒu yīdiǎnr _____, bù xiǎng qù Tiāntán le.

二十 "就"和"才"
Chapter 20 "JIÙ" AND "CÁI"

副词"就"和"才"可以用来表示时间、数量、范围和语气等。

The adverbs"jiù" and "cái"may indicate time, quantity, extent, tone, etc.

(一) 表示时间
Indicating time

(1)"就"表示在短时间内即将发生,重读。

"才"表示事情在前不久发生,重读。

When "jiù"indicates that the action referred to will happen soon, it is pronounced with extra stress.

When "cái"indicates that the action referred to happened just now, it is pronounced with extra stress.

1. 我就来。

  Wǒ jiù lái.

2. 他才走。

  Tā cái zǒu.

(2) 当句子中有表示将来的时间词或其他副词时,"就"表示说话者认为事情将很快发生。"才"表示说话者认为事情将很晚发生。

When there is a future time expression in a sentence, "jiù" implies that the speaker feels that something will happen soon;

259

while "cái"implies that the speaker thinks something will happen late.

我明天就去。

Wǒ míngtiān jiù qù.

他明天才走。

Tā míngtiān cái zǒu.

（3）当句子中有表示过去的时间词或其他副词和助词时，"就"强调说话者认为动作行为实现得早或实现得快，轻读。"才"强调事情发生得晚或结束得晚，轻读。

When there is an overt past time expression：

"Jiù" emphasizes that the action happened sooner, more quickly or more smoothly than expected. In such sentences, do not stress the word "jiù". "cái" emphasizes the action did not happen as soon, as quickly, or as smoothly as expected. In such sentences, do not stress the word "cái".

比较：Comparison：

1.他八点就来了。（认为他来得早）

　Tā bā diǎn jiù lái le. (the speaker thinks he came early)

　他八点才来。

　Tā bā diǎn cái lái. (the speaker thinks he came late)

2.我六岁就开始学画画儿，到现在已经十几年了。（早）

　Wǒ liù suì jiù kāishǐ xué huàhuàr, dào xiànzài yǐjīng shíjǐ nián le. (early)

　我现在才开始学画画儿，有一点儿晚了。（晚）

　Wǒ xiànzài cái kāishǐ xué huàhuàr, yǒu yīdiǎnr wǎn le. (late)

3.他骑了半个小时就到了。（快）

　Tā qíle bàn ge xiǎoshí jiù dào le. (quick)

　他骑了半个小时才到。（慢）

Tā qíle bàn ge xiǎoshí cái dào. (slow)

注意：Note：

用"就"的句子多有"了"；用"才"的句子多不用"了"。

"le" can co‑occur only with "jiù", not with "cái".

（4）"就"和"才"可以表示两件事情紧接着发生。"才"用于句子的前一部分；"就"用于句子的后一部分。

"jiù" and "cái" indicate that two actions occur in succession. "cái" is usually put before the first verb in the sentence, and "jiù" before the second verb in the sentence.

For example：

一/刚/了……就……　　……才……就………

yī/gāng/le……jiù　　……cái……jiù……

1. 我一到北京就给你写信。

　　Wǒ yī dào Běijīng jiù gěi nǐ xiě xìn.

2. 他天一亮就走了。

　　Tā tiān yī liàng jiù zǒu le.

3. 我刚出门就下起雨来了。

　　Wǒ gāng chū mén jiù xià qǐ yǔ lái le.

4. 你怎么才来就要走？

　　Nǐ zěnme cái lái jiù yào zǒu?

5. 他才回到家里，小王就来找他了。

　　Tā cái huí dào jiā li, Xiǎo Wáng jiù lái zhǎo tā le.

（二）表示数量

Indicating quantity

1.就＋动词＋数量词

"jiù" + verb + numeral-measure word

(1) 表示说话者认为数量多,"就"轻读。

Indicating that the speaker thinks the quantity is large. This "jiù" is unstressed.

1. 他一年就写了好几本书。

Tā yī nián jiù xiěle hǎo jǐ běn shū.

2. 我一顿饭就可以吃一斤饺子。

Wǒ yī dùn fàn jiù kěyǐ chī yī jīn jiǎozi.

3. 我去年就搬了五次家。

Wǒ qùnián jiù bānle wǔ cì jiā.

(2) 表示说话者认为数量少,"就"重读。

Indicating that the speaker thinks the quantity is small. This "jiù" is stressed.

1. 北京我就去过一次。

Běijīng wǒ jiù qùguo yī cì.

2. 我的朋友很少,就有两个。

Wǒ de péngyou hěn shǎo, jiù yǒu liǎng ge.

3. 他一年就写了一篇文章。

Tā yī nián jiù xiěle yī piān wénzhāng.

2.才 + 动词 + 数量词

"cái" + verb + number – measure word

只表示说话者认为数量少。

"cái" indicating that the speaker thinks the quantity is small.

1. 我们那么多人才吃了一斤饺子。

Wǒmen nàme duō rén cái chīle yī jīn jiǎozi.

2. 北京我才去过一次。

Běijīng wǒ cái qùguo yī cì.

3. 我一个人就翻译了一百页,你们三个人一共才翻译了八十页。

Wǒ yī ge rén jiù fānyì le yībǎi yè, nǐmen sān ge rén yīgòng cái

fānyì le bāshí yè.

(三)"就"表示范围,相当于"只"。放在要强调的部分前,重读

"Jiù" indicating limits, equivalent to "only". It is placed before the element the speaker wishes to emphasize, and is pronounced with stress.

1. 我们当中就小王学过日语。(别人都没学过)

Wǒmen dāngzhōng jiù Xiǎo Wáng xuéguo Rìyǔ. (Other people have not learned Japanese.)

2. 小王就学过日语。(小王没学过别的外语)

Xiǎo Wáng jiù xuéguo Rìyǔ. (He has not learned other languages.)

3. 我就要这个,不要别的。

Wǒ jiù yào zhè ge, bù yào biéde.

(四)"就"表示坚决的语气,加强肯定

"jiù" indicates a tone of certainty.

1. 这儿就是美国大使馆。

Zhèr jiù shì Měiguó dàshǐguǎn.

2. 他家就在那儿。

Tā jiā jiù zài nàr.

3. 我就是你要找的人。

Wǒ jiù shì nǐ yào zhǎo de rén.

（五）固定搭配

Fixed collocations

（1）"就"表示承接上文,得出结论。

"Jiù" introduces a conclusion. It is often used in the second of a pair of clauses, the first of which states a condition.

如果……就/只要……就/不是……就是……

rúguǒ……jiù / zhǐyào……jiù /bùshì……jiùshì……

1. 如果你累了,就休息一会儿吧。

   Rúguǒ nǐ lèi le,jiù xiūxi yīhuìr ba.

2. 只要你努力学习,就一定能学好中文。

   Zhǐyào nǐ nǔlì xuéxí,jiù yīdìng néng xuéhǎo Zhōngwén.

3. 这两天不是刮风就是下雨。

   Zhè liǎng tiān bùshì guāfēng jiùshì xiàyǔ.

（2）"才"表示只有在某种条件下或由于某种原因,目的,然后怎么样。

"Cái" indicates the sole reason, objective, or condition.

只有……才/因为……才/为了……才

zhǐyǒu……cái/ yīnwéi……cái/ wèile……cái

1. 只有多听,多说,多写,才能学好汉语.

   zhǐyǒu duō tīng, duō shuō, duō xiě, cái néng xuéhǎo Hànyǔ.

2. 因为我不懂,才来问你。

   Yīnwèi wǒ bù dǒng ,cái lái wèn nǐ.

3. 为了工作方便,他才搬家的。

   Wèile gōngzuò fāngbiàn, tā cái bān jiā de.

练 习
Exercise

一、把下面的句子翻译成英文：

Translate the following sentences into English：

1. 他们就下班了。

   Tāmen jiù xiàbān le.

2. 我才下班。

   Wǒ cái xiàbān.

3. 他前年就来北京了，可是今年才开始学习中文。

   Tā qiánnián jiù lái Běijīng le，kěshì jīnnián cái kāishǐ xuéxí
   Zhōngwén.

4. 演出八点才开始，你怎么七点就来了？

   Yǎnchū bā diǎn cái kāishǐ，nǐ zěnme qī diǎn jiù lái le？

5. 这本小说他两天就看完了，我看了一个星期才看完。

   Zhè běn xiǎoshuō tā liǎng tiān jiù kànwán le，wǒ kàn le yī ge
   xīngqī cái kànwán.

6. 他一毕业就回国了。

   Tā yī bìyè jiù huí guó le.

7. 天还没亮他就走了。

   Tiān hái méi liàng tā jiù zǒu le.

8. 这张纸上就写了几个字，扔掉太可惜了。

   Zhè zhāng zhǐ shang jiù xiě le jǐ ge zì，rēngdiào tài kěxī le.

9. 我一顿饭就可以喝五瓶啤酒。

   Wǒ yī dùn fàn jiù kěyǐ hē wǔ píng píjiǔ.

10. 我们班才十个学生。

    Wǒmen bān cái shí ge xuésheng.

11. 我家就我一个孩子。

    Wǒ jiā jiù wǒ yī ge háizi.

12. 前边就是我家。

    Qiánbian jiù shì wǒ jiā.

二、选词填空：

Choose appropriate words to fill in the blanks：

就　　才

jiù　　cái

1. 马上＿＿＿＿＿上课了，咱们快进教室去吧。

    Mǎshàng ＿＿＿＿＿ shàng kè le, zánmen kuài jìn jiàoshì qù ba.

2. 现在＿＿＿＿＿八点，还有半个小时呢。

    Xiànzài ＿＿＿＿＿ bā diǎn, hái yǒu bàn ge xiǎoshí ne.

3. 听了老师的话，小王低着头想了半天，＿＿＿＿＿说话。

    Tīng le lǎoshī de huà, Xiǎo Wáng dīzhe tóu xiǎng le bàn tiān,

    ＿＿＿＿＿ shuō huà.

4. 大学一毕业，她＿＿＿＿＿结婚了。

    Dàxué yī bìyè, tā ＿＿＿＿＿ jiéhūn le.

5. 他工作十年以后＿＿＿＿＿结婚。

    Tā gōngzuò shí nián yǐhòu ＿＿＿＿＿ jiéhūn.

6. 今天他太累了，晚饭只吃了一点点＿＿＿＿＿不吃了。

    Jīntiān tā tài lèi le, wǎnfàn zhǐ chī le yī diǎndiǎn ＿＿＿＿＿ bù chī

    le.

7. 我们班＿＿＿＿＿张明一个人有这本书。

    Wǒmen bān ＿＿＿＿＿ Zhāng Míng yī ge rén yǒu zhè běn shū.

8. 这本词典不错，你＿＿＿＿＿买这本吧。

    Zhè běn cídiǎn bù cuò, nǐ ＿＿＿＿＿ mǎi zhè běn ba.

三、改正下列的病句并说明理由：

Correct the mistakes in the following sentences and give your reasons：

1. 他一回来，就我们走了。

   Tā yī huílai，jiù wǒmen zǒu le.

2. 我们坐了二十分钟的汽车，就九点到了。

   Wǒmen zuò le èrshí fēnzhōng de qìchē，jiù jiǔ diǎn dào le.

3. 马上才出发，你怎么就来了？

   Mǎshàng cái chūfā，nǐ zěnme jiù lái le?

4. 已经十二点了，你就还没睡？

   Yǐjing shíèr diǎn le，nǐ jiù hái méi shuì?

5. 等大家都睡了，才他睡。

   Děng dàjiā dōu shuì le，cái tā shuì.

6. 这本书我看了一天才看完，他看了半天才看完。

   Zhè běn shū wǒ kàn le yī tiān cái kànwán，tā kàn le bàn tiān cái kànwán.

二十一 "都"、"全"和"所有的"

Chapter 21 "DŌU", "QUÁN" AND "SUǑYǑUDE"

(一)"都",副词

"Dōu" is an adverb.

(1)表示总括全部。

It is used to indicate "in each case," i.e., "all".

例:Examples:

1.爸爸和妈妈都去旅行了。("都"总括爸爸和妈妈二人)

Bàba hé māma dōu qù lǚxíng le.

In this sentence, "dōu" indicates "both" dad and mom.

2.外交官都休假了。("都"总括外交官全部)

Wàijiāoguān dōu xiū jià le.

"Dōu" indicates "all" the diplomats.

3.桌子上都是书。("都"总括的是桌子上东西的全部)

Zhuōzi shàng dōu shì shū.

"Dōu" indicates "all" the things on the table.

4.我每天都睡得很晚。("都"总括的是每天)

Wǒ měitiān dōu shuì de hěn wǎn.

"Dōu" indicates every day.

5.学生们都很努力。("都"总括学生的全部)

Xuésheng men dōu hěn nǔlì.

"Dōu" indicates "all" the students.

6. 老师讲的语法, 我都不懂。("都不"表示完全不)

　　Lǎoshī jiǎng de yǔfǎ, wǒ dōu bù dǒng.

"Dōu bù" indicates "none" of the teacher's explanation.

7. 老师讲的语法, 我不都懂。("不都"表示只懂了一部分)

　　Lǎoshī jiǎng de yǔfǎ, wǒ bù dōu dǒng.

"Bù dōu" indicates "not all" of the teacher's explanation.

"都"常与活用的疑问代词搭配使用。

"Dōu" is often used in collocation with an interrogative pronoun.

例: Examples:

1. 谁去都行。

　　Shuí qù dōu xíng.

2. 你什么时候打电话我都在。

　　Nǐ shénme shíhòu dǎ diànhuà wǒ dōu zài.

3. 怎么办我都同意。

　　Zěnme bàn wǒ dōu tóngyì.

4. 刚到北京, 哪儿我都不认识。

　　Gāng dào Běijīng, nǎr wǒ dōu bù rènshi.

"都"也常用在以"谁"、"什么"、"哪儿"等构成的疑问句中。回答时, "都"常略去不用。

"Dōu" is also used very often in interrogative sentences with "shuí", "shénme", "nǎr" etc., to indicate the speaker wants the answer to include all the various people, things, places, etc. "Dōu" is usually omitted in the answer.

例: Example:

1. ——在这个大使馆, 你都认识谁?

　　Zài zhègè dàshǐguǎn, nǐ dōu rènshi shuí?

　　——我认识大使和武官。

Wǒ rènshi dàshǐ hé wǔguán.

2.—昨天去市场,你都买了什么?

　　Zuótiān qù shìchǎng, nǐ dōu mǎi le shénme?

—我买了一件毛衣。

　　Wǒ mǎi le yī jiàn máoyī.

3.—你都看过哪些英文小说?

　　Ní dōu kàn guò nǎxiē yīngwén xiǎoshuō?

—我没看过英文小说。

　　Wǒ méi kàn guò yīngwén xiǎoshuō.

4.—在中国,你都去过哪几个大城市?

　　Zài Zhōngguó, nǐ dōu qùguo nǎ jǐ gè dà chéngshì?

—我去过北京、天津和上海。

　　Wǒ qùguo Běijīng, Tiānjīn hé Shànghǎi.

(2) 表示强调,相当于"甚至"。

For emphasis, equivalent to "shènzhì" (even)

1.为了去上课,他饭都没吃就走了。

　　Wèile qù shàng kè, tā fàn dōu méi chī jiù zǒu le.

2.三年不见,你连我的名字都忘了。

　　Sān nián bù jiàn, nǐ lián wǒ de míngzi dōu wàng le.

3.教室里一个人都没有。

　　Jiàoshì li yī gè rén dōu méiyǒu.

4.他走都走不动,还能参加运动会吗?

　　Tā zǒu dōu zǒu bù dòng, hái néng cānjiā yùndònghuì ma?

(3)相当于"已经",句末常用"了"。

Equivalent to "yǐjīng", the sentence often ends with "le."

1.都春天了,天气还这么冷。

　　Dōu chūntiān le, tiānqì hái zhème lěng.

2.天都黑了,快回家吧!

Tiān dōu hēi le, Kuài huí jiā ba!

3. 孩子都四岁了,该送他去幼儿园了。

Háizi dōu sì suì le, gāi sòng tā qù yòuéryuán le.

(4) 跟"是"合用,说明理由。

Used together with "shì", to introduce the cause of a situation.

1. 都是我不对,你别生气了!

Dōu shì wǒ bù duì, nǐ bié shēngqì le.

2. 都是(因为)你,不然 我早就到学校了。

Dōu shì (yīnwèi) nǐ, bùrán wǒ zǎo jiù dào xuéxiào le.

3. 都是咖啡喝多了,半夜还睡不着觉。

Dōu shì kāfēi hē duō le, bànyè hái shuì bù zháo jiào.

(二)"全","quán"

(1) "全",形容词。

"Quán" can be used as an adjective.

A. "完备"的意思。

Denotes "complete" in the sense of "having everything necessary."

1. 这个商店的东西很全。

Zhè ge shāngdiàn de dōngxi hěn quán.

2. 旅行用的东西你都带全了没有?

Lǚxíng yòng de dōngxi nǐ dōu dài quán le méiyǒu?

B. "整个"的意思,一般与"都"连用。

Denotes "whole, entire". Normally goes together with "dōu".

1. 全世界的天气都不正常。

Quán shìjiè de tiānqì dōu bù zhèngcháng.

2.全国人民的生活水平都提高了。

　　Quán guó rénmín de shēnghuó shuǐpíng dōu tígāo le.

3.他全家都去参加招待会了。

　　Tā quán jiā dōu qù cānjiā zhāodàihuì le.

同样结构的词还有：

Expressions with the same structure include：

全城、全班、全校、全车、全书、全课、全使馆、……

quán chéng, quán bān, quán xiào, quán chē, quán shū, quán kè, quán shǐguǎn,……

　　(2)"全"也作副词用，与"都"的某些用法一样。有时"全"还可以修饰"都"，以表示强调。

"Quán" can also be used as an adverb, in which case it often functions much like "dōu". Sometimes "quán" can modify "dōu" for emphasis.

例：Examples：

1.女同学全来了，男同学只来了一半。

　　Nǚ tóngxué quán lái le, nán tóngxué zhǐ lái le yī bàn.

2.下雪了，房子和树全白了。

　　Xià xuě le, fángzi hé shù quán bái le.

3.他说的话，我全都听不懂。

　　Tā shuō de huà, wǒ quán dōu tīng bù dǒng.

4.老师讲的语法，我全都记住了。

　　Lǎoshī jiǎng de yǔfǎ, wǒ quán dōu jìzhù le.

（三）"所有"（的），形容词，常与"都"连用。

"Suǒyǒude" is an adjective and is often used in combination with "dōu".

例：Examples：

1. 所有的信都寄走了。

Suǒyǒu de xìn dōu jìzǒu le.

2. 这次去旅行，所有的外交官都参加了。

Zhè cì qù lǚxíng, suǒyǒu de wàijiāoguān dōu cānjiā le.

3. 这些就是他所有的家具。

Zhèxiē jiù shì tā suǒyǒu de jiājù.

4. 我们大使馆所有的人都会说英语。

Wǒmen dàshǐguǎn suǒyǒu de rén dōu huì shuō Yīngyǔ.

偏误：Error：

＊ 我们大使馆都人会说英语。

＊ Wǒmen dàshǐguǎn dōu rén huì shuō Yīngyǔ.

5. 所有的人都知道这个消息。

Suǒyǒu de rén dōu zhīdào zhè ge xiāoxi.

偏误：Error：

＊全人知道这个消息。

＊ Quán rén zhīdào zhè ge xiāoxi.

注意：Note：

翻译成英文或法文时，"全"后面的名词都用单数；"所有的"后面的名词用复数（集合名词除外）。

"'Quán' + noun" equates to "the entire" noun where the noun is singular. "'Suǒyǒude' + noun" often equates to "all the" nouns where the noun is plural. (Uncountable or mass nouns are an exception.)

练　习
Exercise

一、请读下面的句子并翻译成英文：

Read the following sentences and translate into English：

1. 学生们都去滑冰了。

　　Xuésheng men dōu qù huábīng le.

2. 他们不都住在外交公寓，有的人住在饭店里。

　　Tāmen bù dōu zhù zài wàijiāo gōngyù, yǒu de rén zhù zài

　　fàndiàn li.

3. 这些语法我们都学过了。

　　Zhèxiē yǔfǎ wǒmen dōu xuéguò le.

4. 这几个汉字我都没写对。

　　Zhè jǐ ge hànzì wǒ dōu méi xiě duì.

5. 我去哪儿都开自己的车，这样方便。

　　Wǒ qù nǎr dōu kāi zìjǐ de chē, zhèyàng fāngbiàn.

6. 谁都喜欢这只小白猫。

　　Shuí dōu xǐhuān zhè zhī xiǎo bái māo.

7. 天都亮了，你该起床了！

　　Tiān dōu liàng le, nǐ gāi qǐ chuáng le.

8. 他一直住在山里，连火车都没有看见过。

　　Tā yīzhí zhù zài shānli, (lián) huǒchē dōu méiyǒu kànjiàn guò.

9. 他们全家都去参加宴会了。

　　Tāmen quánjiā dōu qù cānjiā yànhuì le.

10. 我小时候学过俄文，现在全都忘了。

　　Wǒ xiǎo shíhòu xuéguo É'wén, xiànzài quán dōu wàng le.

11. 你讲得不全，我再补充一点儿。

Nǐ jiǎng de bù quán, wǒ zài bǔchōng yī diǎnr.

12. 他能说出花园里所有的花的名字。

Tā néng shuō chū huāyuán li suǒyǒu de huā de míngzi.

13. 这不是所有的人的看法，只是一小部分人的看法。

Zhè bù shì suǒyǒu de rén de kànfǎ, zhǐ shì yī xiǎo bùfen rén de kànfǎ.

14. 全篇课文还不到一百字，请大家背下来！

Quán piān kèwén hái bù dào yī bǎi zì, qǐng dàjiā bèi xiàlái!

15. 他把三十年来订的杂志全都送给了图书馆。

Tā bǎ sānshí nián lái dìng de zázhì quán dōu sòng gěi le túshūguǎn.

16. 你刚才讲的话，我都听懂了。

Nǐ gāngcái jiǎng de huà, wǒ dōu tīng dǒng le.

二、改错句：

Correct the following sentences：

1. 昨天你去商店，买了都什么东西？

Zuótiān nǐ qù shāngdiàn, mǎi le dōu shénme dōngxi?

2. 都票卖完了。

Dōu piào mài wán le.

3. 他把他都钱借给了朋友。

Tā bǎ tā dōu qián jiè gěi le péngyou.

4. 在我们班，都人爱打乒乓球。

Zài wǒmen bān, dōu rén ài dǎ pīngpāng qiú.

5. 他离开北京的时候，我们公司的全人去飞机场送他。

Tā líkāi Běijīng de shíhou, wǒmen gōngsī de quán rén qù fēijīchǎng sòng tā.

6. 你说话太快，我所有的不懂。

Nǐ shuō huà tài kuài, wǒ suǒyǒu de bù dǒng.

三、用"都""全""所有的"填空：

Fill in the blanks with "dōu", "quán", or "suǒyǒude"：

1. 你怎么把一个大西瓜_____吃了？

    Nǐ zěnme bǎ yī gè dà xīguā _____ chī le?

2. 这本字典只有五百个词，不_____，你要翻译小说，得买本大辞典。

    Zhè běn zìdiǎn zhǐ yǒu wǔ bǎi ge cí, bù _____, nǐ yào fānyì xiǎoshuō, děi mǎi běn dà cídiǎn.

3. 今天休息，我把_____脏衣服都洗了。

    Jīntiān xiūxi, wǒ bǎ _____ zāng yīfu dōu xǐ le.

4. 我们_____家人都非常感谢你。

    Wǒmen _____ jiā rén dōu fēicháng gǎnxiè nǐ.

5. 美国_____城市都有高速公路和立交桥吗？

    Měiguó _____ chéngshì dōu yǒu gāosù gōnglù hé lìjiāoqiáo ma?

6. 他把妈妈给的_____钱都丢了。

    Tā bǎ māma gěi de _____ qián dōu diū le.

四、请用"刚"，"刚才"，"都"，"全"，"所有的"各造一个句子。

Make sentences with "gāng", "gāngcái", "dōu", "quán", or "suǒyǒude".

五、请读下面的对话,注意"刚","刚才","都","全","所有的"的用法:

Read the following conversation and pay attention to the uses of "gāng", "gāngcái", "dōu", "quán" **and** "suǒyǒude":

在书店

刘:玛丽,是你!没想到在这儿遇见你!

玛:刘华,你好!刚才我在二层卖字典的地方看见一个女孩,从后面看像你,可是我没敢叫,怕认错了人。你看这书店真大,书又这么全,这是新建的书店吧?

刘:对了,这个书店是新建的,上个月刚开门。北京以前还没有这么现代化的书店呢!

玛:我真喜欢这个书店,有小推车给你装你选好的书;有椅子,你可以坐在那儿看书,三层还有休息室,休息室里有咖啡厅,还有电脑,你可以查书。

刚才,我把这儿所有的出版社的柜台都参观了一遍,我还没来得及买书呢!

刘:好书太多了,我都想买,可是没有那么多钱,也没有那么大的地方放。

玛:我也一样。我宿舍的书架太小,我只好买了一个大篮子,把看过的书放在篮子里。

刘:这倒是个好主意。对了,玛丽,在二层我看见一本刚出版的汉语小词典,我觉得不错,很有用,你可以去看看。

玛:谢谢你,我现在就去!那么,我们星期一再见!

刘:再见!

ZÀI SHŪDIÀN

Liú: Mǎlì, shì nǐ! Méi xiǎng dào zài zhèr yùjiàn nǐ!

Mǎ: Liúhuá, nǐhǎo! Gāngcái wǒ zài èr céng mài zìdiǎn de dìfāng kànjiàn yī ge nǚ háizi, cóng hòumiàn kàn xiàng nǐ, kěshì wǒ méi gǎn jiào, pà rèn cuò le rén! Nǐ kàn zhè shūdiàn zhēn dà, shū yòu zhème quán, zhè shì xīn jiàn de ba?

Liú: Duì le, zhè gè shūdiàn shì xīn jiàn de, shàng ge yuè gāng kāi ménr. Běijīng yǐqián hái méiyǒu zhème xiàndàihuà de shūdiàn ne!

Mǎ: Wǒ zhēn xǐhuan zhè ge shūdiàn, yǒu xiǎo tuīchē gěi nǐ zhuāng nǐ xuǎn hǎo de shū; yǒu yǐzi, nǐ kěyǐ zuò zài nàr kàn shū; sān céng hái yǒu xiūxishì, xiūxishì li yǒu kāfēi tīng, hái yǒu diànnǎo, nǐ kěyǐ chá shū.

Gāngcái, wǒ bǎ zhèr suǒyǒu de chūbǎnshè de guìtái dōu cānguān le yī biàn. Wǒ hái méi láidejí zhǎo wǒ yào mǎi de shū ne!

Liú: Hǎo shū tài duō le, wǒ dōu xiǎng mǎi, kěshì méiyǒu nàme duō de qián, yě méiyǒu nàme dà de dìfang fàng.

Mǎ: Wǒ yě yīyàng. Wǒ sùshè de shūjià tài xiǎo, wǒ zhǐhǎo mǎi le yī gè dà lánzi, bǎ kànguò de shū fàng zài lánzi li!

Liú: Zhè dào shì gè hǎo zhǔyì, duìle, Mǎlì, zài èr céng, wǒ kànjiàn yī běn gāng chūbǎn de hànyǔ xiǎo cídiǎn, wǒ juéde bùcuò, hěn yǒuyòng, nǐ kěyǐ qù kànkan.

Ma: Xièxie nǐ, wǒ xiànzài jiù qù! Nàme, wǒmen xīngqī yī zàijiàn!

Liú: Zàijiàn!

二十二 "刚"和"刚才"

Chapter 22 "GĀNG" AND "GĀNGCÁI"

(一)"刚""gāng"

"刚"是副词,用在动词或形容词前。

"Gāng" is an adverb, used before a verb or an adjective.

> 主语 + 刚 + 动词/形容词
>
> Subject + "gāng" + verb/adjective

(1)表示发生在不久以前。

It indicates that an action happened in the recent past.

1. 我刚吃完饭。

  Wǒ gāng chīwán fàn.

2. 他病了一个星期,现在刚好。

  Tā bìng le yī gè xīngqī, xiànzài gāng hǎo.

"刚"与"就"连用,表示时间短。

"Gāng" together with "jiù" indicates that the amount of time passed is short.(In English, it is sometimes expressed as "just", or sometimes as "first").

> 刚……就
>
> "gāng……, jiù……"

1. 我刚到北京，就去看长城。

   Wǒ gāng dào Běijīng, jiù qù kàn Chángchéng.

2. 天刚亮，他就起床了。

   Tiān gāng liàng, tā jiù qǐchuáng le.

（2）表示数量少，相当于"才"，"只"。

It indicates a small quantity, similar to "cái" and "zhǐ". (Often translated as "only," "just.")

1. 弟弟刚三岁，就能背唐诗了。

   Dìdi gāng sān suì, jiù néng bèi tángshī le.

2. 我刚学一年中文，看不懂这本小说。

   Wǒ gāng xué yī nián Zhōngwén, kàn bu dǒng zhè běn xiǎoshuō.

3. 你的行李刚十八斤，还可以加一点东西。

   Nǐ de xíngli gāng shíbā jīn, hái kěyǐ jiā yīdiǎn dōngxi.

（3）表示勉强达到某种程度，可用"刚"的重复形式"刚刚"。

To indicate that something barely reaches a certain degree. The reduplicated form "gānggāng" can also be used.

1. 别人都写完了，我刚（刚）写了一半。

   Bié rén dōu xiě wán le, wǒ gāng(gāng) xiě le yībàn.

2. 三年了，这楼刚（刚）建成。

   Sān nián le, zhè lóu gāng(gāng) jiàn chéng.

3. 同学们都毕业两年了，他刚（刚）毕业。

   Tóngxuémen dōu bìyè liǎng nián le, tā gāng(gāng) bìyè.

（4）表示正好与所要求的、所期望的、所规定的达到了一致，其后常加"好"，大体相当于"正好"。

It indicates the attainment of a condition just barely consistent with that requested, expected, or stipulated. It is often immediately followed by "hǎo," and is for the most part similar to the expression "zhènghǎo."

主语 + 刚 (好) + 动词/形容词
subject + "gāng" ("hǎo") + verb/adjective

1. 在中国,十八岁才可以开车,他今年刚〈好〉十八岁。

Zài Zhōngguó, shíbā suì cái kěyǐ kāi chē, ta jīnnián gāng (hǎo) shíbā suì.

2. 你看,我穿这件衣服长短刚〈好〉合适。

Nǐ kàn, wǒ chuān zhè jiàn yīfu cháng duǎn gāng (hao) héshì.

3. 三分钟,我刚〈好〉念完这篇文章。

Sān fēnzhōng, wǒ gāng (hǎo) niàn wán zhè piān wénzhāng.

(二)"刚才"是时间名词,可放在主语前或其他位置,指说话前不久的时间。

"Gāngcái" is a noun of time. It can be placed before the subject or in other positions. It refers to "a moment ago."

1. 刚才我看见老师走进办公室了。

Gāngcái wǒ kànjiàn lǎoshī zǒu jìn bàngōngshì le.

2. 他刚才还在这儿,现在不知去哪儿了。

Tā gāngcái hái zài zhèr, xiànzài bù zhī qù nǎr le.

3. 现在比刚才热了。

Xiànzài bǐ gāngcái rè le.

4. 刚才的回答错了,你再想一想吧。

Gāngcái de huídá cuò le, nǐ zài xiǎng yi xiǎng ba.

5. 刚才那句话非常重要。

Gāngcái nà jù huà fēicháng zhòngyào.

（三）"刚"和"刚才"的比较

Comparison of "gāng" and "gāngcái"

（1）"刚"（刚好、刚刚）是副词，"刚才"是名词。

"Gāng" (gānghǎo, gānggāng) is an adverb while "gāngcái" is a noun.

（2）在带有"刚"（刚好、刚刚）的句中，动词后可用表示数量的词；带有"刚才"的句子不行。

The verb can be followed by a number expression in a sentence with "gāng" (gānghǎo, gānggāng), but not in a sentence with "gāngcái".

1. 我刚到北京三天。（对）

　　Wǒ gāng dào Běijīng sān tiān. (correct)

　　＊ 我刚才到北京三天。（错）

　　＊ Wǒ gāngcái dào Běijīng sān tiān. (wrong)

2. 我的孩子刚一岁。（对）

　　Wǒ de háizi gāng yī suì. (correct)

　　＊ 我的孩子刚才一岁。（错）

　　＊ Wǒ de háizi gāngcái yī suì. (wrong)

练　习
Exercise

一、请读下面的句子并翻译成英文：

Read the following sentences and translate into English：

1. 我刚到北京，哪儿也不认识。

　　Wǒ gāng dào Běijīng, nǎr yě bù rènshi.

2. 田里的麦子刚黄，还没有收割呢。

Tián lǐ de màizi gāng huáng, hái méiyǒu shōugē ne.

3. 刚考完试,他就旅行去了。

Gāng kǎowán shì, tā jiù lǚxíng qù le.

4. 在中国,孩子们六岁可以上学。今年九月他弟弟刚五岁半,
还不可以上小学。

Zài Zhōngguó, háizimen liù suì kěyǐ shàngxué. Jīnnián jiǔ yuè,
tā dìdi gāng wǔ suì bàn, hái bù kěyǐ shàng xiǎoxué.

5. 他刚买的面包,还热着呢!

Tā gāng mǎi de miànbāo, hái rè zhe ne!

6. 朋友们都爬到山顶了,我刚爬了一半。

Péngyoumen dōu pá dào shāndǐng le, wǒ gāng pá le yíbàn.

7. 你刚看了两页,怎么能说这本小说不好呢?

Nǐ gāng kàn le liǎng yè, zěnme néng shuō zhè běn xiǎoshuō
bù hǎo ne?

8. 刚才他还在这儿,怎么一转眼就不见了?

Gāngcái tā hái zài zhèr, zěnme yī zhuǎn yǎn jiù bù jiàn le?

9. 刚四点,游人就起床去看日出了。

Gāng sì diǎn, yóurén jiù qǐchuáng qù kàn rìchū le.

10. 是刚才才听到这个消息的。

Wǒ shì gāngcái cái tīng dào zhège xiāoxi de.

二、改错句:

Correct the errors in the following sentences:

1. 我来这个学校刚才三天。

Wǒ lái zhè ge xuéxiào gāngcái sān tiān.

2. 你刚的回答错了,想一想为什么?

Nǐ gāng de huídá cuò le, xiǎng yī xiǎng wèi shénme?

3. 刚我学习中文三个月,还不能看报。

Gāng wǒ xuéxí Zhōngwén sān gè yuè, hái bù néng kàn bào.

4. 我一出办公室,刚才看见我要找的那个人。

Wǒ yī chū bàngōngshì, gāngcái kànjiàn wǒ yào zhǎo de nà gè
rén.

5. 刚他找我,我没在办公室。

Gāng tā zhǎo wǒ, wǒ méi zài bàngōngshì。

三、用"刚""刚才"填空:

Fill in the blanks with "gāng" or "gāngcái":

1. 我上星期 _____ 去过长城,明天我就不跟你一起去了。

Wǒ shàng xīngqī _____ qù guo Chángchéng, míngtiān wǒ jiù

bù gēn nǐ yīqǐ qù le.

2. _____ 我看见他站在这儿跟你说话,现在他去哪儿了,你
知道吗?

_____ wǒ kànjiàn tā zhàn zài zhèr gēn nǐ shuōhuà, xiànzài tā

qù nǎr le, nǐ zhīdào ma?

3. 他妹妹 _____ 结婚两个月,还没买房子。

Tā mèimei _____ jiéhūn liǎng ge yuè, hái méi mǎi fángzi.

4. _____ 唱歌的那个女孩子叫什么名字?

_____ chàng gē de nàge nǚ háizi jiào shénme míngzi?

5. 他_____ 来,怎么又走了?

Tā _____ lái, zěnme yòu zǒu le?

四、请用"刚","刚才"各造一个句子。

Make sentences with "gāng" and "gāngcái".

二十三　又、再和还

Chapter 23　"YÒU"、"ZÀI" AND "HÁI"

副词"又、再、还"都可以表示动作行为的重复或状态的持续。使用时,又有细微的差别。

The adverbs "yòu", "zài", and "hái" can all indicate the repetition of an action or the continuation of a state. But there are some differences among them.

(一) 又"yòu"

(1) 表示动作活动的重复发生或连续反复地进行。多用于"已经发生"的情况。

Indicates the re-occurrence of an action/activity, or continuous repetition. In most cases it refers to a past event.

1. 这个字你又写错了。

　Zhè ge zì nǐ yòu xiěcuò le.

2. 昨天我又看了一遍这本小说。

　Zuótiān wǒ yòu kànle yī biàn zhè běn xiǎoshuō.

3. 他前天来过,昨天又来了。

　Tā qiántiān láiguo, zuótiān yòu lái le.

4. 这次考试你又没及格吗?

　Zhè cì kǎoshì nǐ yòu méi jígé ma?

(2) 表示预计的重复。

Indicates expected repetition.

1. 明天又是星期六了。

   Míngtiān yòu shì xīngqīliù le.

2. 下个星期他又要出国了。

   Xià ge xīngqī tā yòu yào chūguó le.

3. 要是她知道这件事,又会不高兴了。

   Yàoshi tā zhīdào zhè jiàn shì,yòu huì bù gāoxìng le.

(二) 再 "zài"

表示同一动作的重复或持续。用于"还没有发生"的情况。

Indicates the repetition or the continuation of an action. It refers only to an action that has not yet come about.

1. 现在下班了,请你明天再来吧。

   Xiànzài xiàbān le,qǐng nǐ míngtiān zài lái ba.

2. 我们再等他一会儿。

   Wǒmen zài děng tā yīhuìr.

3. 从那以后,他再没(没再)来过。

   Cóng nà yǐhòu,tā zài méi(méi zài)láiguo.

注意:Notes:

(1) 句中有能愿动词时,"再"在能愿动词后。

When there is an auxiliary verb in the sentence, "zài" occurs after the auxiliary verb.

主语 + 能愿动词 + 再 + 动词
Subject + auxiliary verb + "zài" + verb

---

1. 这本小说我想再看一遍。

   Zhè běn xiǎoshuō wǒ xiǎng zài kàn yī biàn.

2. 你愿意再等一等吗?

   Nǐ yuànyì zài děng yi děng ma?

2.已经下班了,你明天再来吧。

Yǐjing xiàbān le,nǐ míngtiān zài lái ba.

练 习
Exercise

一、完成下面的句子:

Complete the following sentences:

1.去年他去过上海,今年他_____。

Qùnián tā qùguo Shànghǎi, jīnnián tā_____.

2.这本小说她很喜欢,她_____。

Zhè běn xiǎoshuō tā hěn xǐhuan, tā_____.

3.下个星期的课,我_____。

Xià ge xīngqī de kè, wǒ_____.

4.要是你妈妈知道你那么晚回家,_____。

Yàoshi nǐ māma zhīdào nǐ nàme wǎn huíjiā,_____.

5.欢迎下次_____!

Huānyíng xià cì_____!

6.如果你没听懂,可以_____。

Rúguǒ nǐ méi tīngdǒng, kěyǐ_____.

7.桂林的风景很美,今年五月我去了,明年我_____。

Guìlín de fēngjǐng hěn měi, jīnnián wǔ yuè wǒ qù le, míngnián wǒ_____.

二、选词填空:

Fill in the blanks with the following words:

又"yòu" 再"zài" 还"hái"

1.日子过得真快,明天_____是星期六了。

Rìzi guòde zhēn kuài, míngtiān _____ shì xīngqīliù le.

2. _____ 过两天这个月就过去了。

_____ guò liǎng tiān zhè ge yuè jiù guòqù le.

3. 那个电影我_____看了一遍，可是_____有些地方没看懂。

Nà ge diànyǐng wǒ _____ kàn le yī biàn, kěshì _____ yǒu xiē dìfang méi kàndǒng.

4. 大学毕业以后，我_____没有见过他。

Dàxué bìyè yǐhòu, wǒ _____ méiyǒu jiànguo tā.

5. 你的病虽然好了，可是_____得休息一段时间。

Nǐ de bìng suīrán hǎo le, kěshì _____ děi xiūxi yī duàn shíjiān.

6. 上次我去上海的时间太短，今年我_____想_____去一次。

Shàngcì wǒ qù Shànghǎi de shíjiān tài duǎn, jīnnián wǒ _____ xiǎng _____ qù yī cì.

三、辨别对错：

Choose the correct sentences：

1. 玛丽想再听一会儿音乐。

Mǎlì xiǎng zài tīng yīhuìr yīnyuè.

玛丽想还听一会儿音乐。

Mǎlì xiǎng hái tīng yīhuìr yīnyuè.

2. 如果有时间，我再想逛逛这些商店。

Rúguǒ yǒu shíjiān, wǒ zài xiǎng guàngguang zhèxiē shāngdiàn.

如果有时间，我还想逛逛这些商店。

Rúguǒ yǒu shíjiān, wǒ hái xiǎng guàngguang zhèxiē shāngdiàn.

3. 第二天晚上，那个姑娘再来了。

Dì èr tiān wǎnshang, nà ge gūniang zài lái le.

第二天晚上,那个姑娘又来了。

Dì èr tiān wǎnshang, nà ge gūniang yòu lái le.

4. 下了飞机以后,又坐了一个小时汽车才到了那儿。

Xià le fēijī yǐhòu, yòu zuò le yī ge xiǎoshí qìchē cái dào le nàr.

下了飞机以后,再坐了一个小时汽车才到了那儿。

Xià le fēijī yǐhòu, zài zuò le yī ge xiǎoshí qìchē cái dào le nàr.

部分练习参考答案

一 提问的方法

一、把下面的陈述句改成用"吗"的疑问句并回答：

1. 他是学生吗？——是。
2. 你有词典吗？——有。
3. 她会喝酒吗？——不会。
4. 黑板上的字你看得清楚吗？——看不清楚。
5. 昨天他去天坛公园玩儿了吗？——去了。

二、比较下面的句子有什么不同：（略）

三、根据划线部分用疑问代词提问：

1. 那个小女孩叫什么？
2. 他是谁？
3. 彼得是哪国人？
4. 这件红衬衫怎么样？
5. 你下个星期怎么去上海？
6. 他为什么心里很难过？
7. 老张什么时候去香港？
8. 你们明天几点出发去长城？
9. 一般来说，北京的春天有几个月？
10. 你到哪儿去买水果？
11. 他买了几瓶啤酒？
12. 你们公司有多少名职员？
13. 这个湖有多深？

四、把下面的句子改成用"呢"的疑问句：

1. 你的书呢？

2. 我已经做完作业了，他呢？

3. 你哥哥已经结婚了，你姐姐呢？

4. 他要是明天不来呢？

5. 要是他的烧下午还不退呢？

五、用"……不……""……没……"或"……了（过）没有"造疑问句：

1. 你去过长城没有？

2. 他的发音准确不准确？

3. 你有没有姐妹？

4. 学过的生词你都记住了没有？

5. 这次考试他通过了没有？

六、用"（是）……还是……"把下列句子改成疑问句：

1. 小王是翻译还是外交官？

2. 你去西安还是桂林？

3. 你喜欢北京的秋天还是北京的冬天？

4. 他来找我还是我去找他？

5. 李先生是你的朋友还是你夫人的朋友？

七、用"是不是"把下列句子改成疑问句：

1. 那儿的东西是不是一定很便宜？

2. 我们已经等了快两个小时了，他是不是不来了？

3. 他没来上课，是不是又病了？

4. 好几天没看见你了，你是不是去外地了？

5. 这个女孩儿和她长得真像，是不是她的妹妹？

八、按照要求回答问题：

1. 不，他在。

2. 对，我不累。

3. 不，他来了。

4. 对，我没去过。

5. 不，好看。

九、用疑问代词把下列句子改成反问句：

1. 那个房间不是很大吗？

2. 你没有看出来他不喜欢你吗？

3. 路这么远，你还走着去？

4. 汽车马上就来了，你着什么急？

5. 这件衣服脏什么？

6. 我没看过那本书，怎么知道它的内容呢？

7. 我一个人哪里吃得下这么多饺子？

8. 这么难的文章，我怎么看得懂？

十、用疑问代词填空：

1. 什么

2. 哪儿

3. 什么

4. 谁

5. 谁，谁

6. 哪儿……哪儿……

二　形容词谓语句和名词谓语句

一、回答问题：（略）

二、请就以下时间提问，并用两种形式回答：（略）

三、选词填空：

1. 我们的房间很<u>小</u>，他们的房间很<u>大</u>。

2. 我们的公司离市中心<u>不远</u>，开车五分钟就到了。

3. 爸爸的工资<u>多</u>，我的工资<u>少</u>；爸爸常常给我钱，可是我不好意思要。

4. 你的手怎么这么<u>脏</u>，看！我的手多么<u>干净</u>。

5. 今年汉语水平考试的题很<u>难</u>，去年的很容易。

6. 坐飞机<u>快</u>，坐船<u>慢</u>。

7. 你看，你的字典还很<u>新</u>，可是我的已经<u>旧</u>了。

8. 以前这条街太<u>窄</u>了，常常堵车；现在这条街<u>宽</u>了，再也不堵车了。

9. 去年这个时候我很<u>胖</u>，今年很<u>瘦</u>，因为我每天喝减肥茶。

10. 你真<u>聪明</u>，找了一个这么好的地方看书，这儿太<u>安静</u>了。

四、请把下面的句子翻译成中文：

1. 现在几点了？

2. 你是哪国人？／你从哪儿来？

3. 中文语法难吗？

4. 今天星期几？

5. 你多大？／你几岁了？／你多大年纪？

6. 上海气温怎么样？热吗？

7. 你们使馆年轻人多还是年龄大的人多？

8. 长城离这儿远吗？

9. 你这个星期忙吗？

10. 这款衣服太贵了。

五、阅读短文并回答问题：（略）

三 表示存在的句子答案

一、翻译下面的句子：

1. There are some dictionaries on the bookshelf.

2. There are many customers in the store.

3. There are newspapers and magazines on the table.

4. There is a painting on the wall.

5. There is a small wooded area beside the school.

6. There is a park behind the post office.

7. We have a new colleague in our company.

8. An eighty-year-old man is coming down the stairs.

二、把下面的句子改成现存句：

1. 前边走过来一个老师。

2. 楼上刮下来一件衣服。

3. 学校里开出来几辆汽车。

4. 书架上放着很多杂志。

5. 墙上挂着几张字画。

6. 楼外边放着很多自行车。

7. 主席台上坐着几个学生。

三、改正下列错句：

1. 桌子上放着很多书。

2. 教室里坐着很多学生。

3. 那个人从楼上走下来。

4. 前边跑过来几个人。

5. 昨天家里来了几位客人。

四、用所给的词填空：

1. 摆着　　2. 放着　　3. 挂着　　4. 有

5. 放着　　6. 摆着　　7. 放着

四　汉语表示时间和动态的方法
表示时间的方法

一、回答下面的问题：（略）

二、辨别正误：

1. A√　B×　　2. A×　B√　　3. A√　B×

4. A√　B×　　5. A×　B√

三、用下列词组造带时量补语的句子：（略）

四、阅读短文并复述：（略）

表示（动）态的方法
A. 动作的进行

一、组句：

1. 老王正打电话。

2. 孩子在洗澡。

3. 大家这正等着她呢。

4. 谈判正在进行。

5. 他正睡觉呢。

6. 学生们正在上听力课。

7. 这个国家代表团正在访问。

8．这个问题正在被解决。

二、填空：

天<u>正</u>下雨呢，老王<u>正在</u>看朋友的路上。街上<u>正</u>刮着大风，他<u>正</u>吃力地走着。老王的朋友<u>正在</u>家里等着他的到来。他<u>正在</u>听天气预报，预报说，很多云<u>正在</u>向这里运动，明天的雨更大。

D．动作将要发生

一、翻译下面的句子：

1．The weather is going to warm up.

2．The movie is going to start soon. Let's go in.

3．It looks as if spring is coming soon.

4．The new year will soon be here.

5．He will be leaving Beijing next week.

6．I am going to graduate next year.

二、用"快要……了"、"就要……了"完成下列对话。

1．就要/快要开始了

2．就要/快要开了

3．就要/快要下雨了

4．就要来了

三、改正下列错句：

1．我们明天就要考试了。

2．下个月我的生日就要到了。

3．我们就要毕业了。

4．电影快要结束了。

E. 动作的过去经历

一、组句：

1. 汤姆来过中国。

2. 他去过长城。

3. 我们没去过西安。

4. 大家练习过用筷子吃饭。

5. 他没学过汉语。

二、填空：（略）

五　语气助词"了"

一、选词填空：

1. 冷　　2. 便宜、贵　　3. 大　　4. 累

5. 开　　6. 决定　　　7. 看

二、完成下列句子：

1. 我今天上午去长城了。

2. 我刚才做作业了。

3. 他今天去上班了吗？

4. 我没有看这盘录像带。

5. 去年夏天他去德国了吗？

三、用"快/就/就要……了"填空：

1. 快、了　　2. 就要、了　　3. 就要、了　　4、快、了

5. 快、了　　6. 就要、了　　7. 就、了　　　8. 就要、了

四、将下列句子译成英语：

1. That room is too big.

2. The things here are too expensive.

3. There are too many people in Beijing.

4. This is the most difficult sentence. Hardly any students understand it.

5. That man is really bad.

6. This book is terribly boring.

7. It is extremely cold this winter. 8. You are really stupid.

五、比较下列句子：（略）

六 补 语

（一）结果补语

一、回答问题或正确应对：（用上结果补语）

1. 我在北京住了三年了，住得不想走了。住得惯。

2. 在北京吃得到我们的家乡饭。

3. 我每天七点起床，如果再早一个小时，我起不来。

4. 这儿放不下，放在客厅里吧。

5. 真对不起，我没看见。

6. 他看不起别人。

7. 我去买了，可是没买到。

8. 车开得太快，一下子停不住。

9. 谢谢，我吃好了。

10. 我一个人去拿得了，不太重，不麻烦你了。

二. 选择正确答案：（有几个选几个）

1. A、C   2. B、C   3. B、C   4. A、C   5. B

6.B　　　7.B、C　　8.D　　9.B　　　10.B

三、填空：

1．学不会

2．做不完　　玩不好／玩不痛快

3．来不了　　做完

4．留得住　　留不住

5．跑得了　　跑不了

四、改错：

1．你一个小时写得完吗？

2．买了那么多饺子，你一个人吃得完吗？

3．警察把小偷抓住了。

4．——一个人拿不动吧？我帮你拿吧。

　　——不用了，谢谢，我拿得动。

5．看，已经洗干净了。

（二）趋向补语

一、用完整的句子回答下列问题：

1．你要的字典我带来了。

2．我给妈妈寄去了一些衣服。

3．这个月的《汉语学习》杂志，王平借走了。

4．他这次去旅游，忘了把照相机带去了。

5．这个词的意思，我想不起来了。

6．我看见老师从教室出去了。

7．他们把车开进车库里去了。

8．他从新疆旅行回来，没给我带回来哈密瓜。

9．你看完了这些报纸，不用给我送回来了。

10．他跑上楼去了，我没看他下来。

二、下面的句子，对的请画"√"，错的请画"×"。

1.√ 2.× 3.× 4.√ 5.√

6.√ 7.× 8.× 9.√ 10.×

三、把括号中的趋向补语放到适当的位置：

1．送回家去

2．走进房间来

3．拿来钱/拿钱来

4．游过河去

5．举起手来

6．爬上山

7．带去一封信/带一封信去

8．跑下山去

9．掉下来一个苹果/掉下一个苹果来

10．下起雨来

四、把下面的各组词连成带趋向补语的动宾词组：

1．回办公室来

2．进客厅去

3．买回来一本辞典

4．走出教室去

5．跑下楼去

6．唱起歌来

7．寄回去一个包裹/寄一个包裹回去

8．爬上山去

9．下起雨来

10．带去一束鲜花/带一束鲜花去

（三）状态补语

一、用状态补语完成下面的句子：

1．早（晚）

2．不错（很好／不太好）

3．很干净

4．很好（不太好）

5．很高兴

6．有一点儿肥（很合适）

7．远了

8．一点儿

9．不得了（很）

10．不得了

二、以下句子，对的画"√"，错的画"×"。

1．√　　2．×　　3．×　　4．√　　5．√

三、根据给的词语，造带状态补语的句子。

1．他高兴得跳起来了。

2．阿姨收拾房间收拾得很干净。

3．我朋友跑步跑得比别人都快。

4．这些练习难得谁都不会做。

5．他难过得流下了眼泪。

四、读下面的短文，把可能用状态补语表达的地方替换成状态补语。

　　昨天是四月二十日，但天气热得很，像夏天一样。我去朋友家看了他新买的房子。这套房子又大又亮，很漂亮。玻璃擦得干干净净；房间里的家具放得整整齐齐。我朋友说，为了收拾房间，他用了差不多两个星期的时间，没有找人帮助。收拾完，他累得连饭也不想吃，只想睡觉。现在，有了这么舒适的家，他高兴得很。我也很高兴，因为以后我们可以在他漂亮的新房子里聚会了。

七　"是……的"结构

一、读下列句子（略）

二、回答下列问题（略）

三、用"是……的"结构，重写下列错句。

1．我是去年十一月来北京的。

2．我是从西雅图去上海的。

3．我是坐火车去昆明的。

4．我是为你买的蛋糕。

5．这封信是大家写的。

6．衣服小了是因为洗的。

7．我是去年看见他的。

8．他们是上个星期到美国的。

四、比较句子（略）

八　表示比较的方法

一、回答问题：

1．上海的夏天比北京热。

2．在北京，牛肉比猪肉贵。

3．这个灯比那个更亮。

4．我比我表妹大三个月。

5. 小王昨天晚上睡得没有我们晚。

6. 这条裤子比那条长一点。

7. 这三个人差不多一样高。

8. 我的房间没有你的房间凉快。

9. 她丈夫没她会做菜。

10. 法文比英文难学。

二、请把下面的句子翻译成英文：

1. He has a few more books than I do.

2. Children should pay more attention to hygiene than adults.

3. Beijing has a much larger population than three years ago.

4. The trees here are all huge.

5. I am not as smart as you are!

6. No one likes swimming more than he does.

7. Look at this child's face. Doesn't it look like a big apple?

8. These dresses are all very different in design. Which one do you like?

9. The distance and the time it take is more or less the same whether one goes from here or from there.

10. My older brother is even more careless than I am.

三、用"没有"，"跟……一样（……不一样）"，"像（不像）"完成句子：

1. 没有

2. 跟……一样

3. 跟……一样

4．跟……一样

5．不像

6．跟……一样

7．没有

8．跟……不一样（一样）

9．跟……不一样

10．像

四、请把下面的句子改成比较句：

1．我爸爸比我妈妈大两岁。

2．这张桌子比那张桌子长。

3．我也想买一本跟你一样的字典。

4．我的这件衣服跟他的那件衣服一样贵。

5．法文语法跟意大利语法差不多难。

6．我跟我的朋友一样喜欢游泳。

7．今年我比去年多去了一次长城。

8．这些椅子的颜色跟那些椅子的颜色不一样。

9．我妹妹唱歌唱得跟我姐姐一样好。

10．今年春天北方下雨下得比南方多。

九　表示被动的方法

一、比较句子：（略）

二、改主动句为被动句：

1．他的病被王医生治好了。

2．自行车被玛丽丢了。

3．酒都被他们喝了。

4．很多书被我从图书馆借来了。

5. 星期六衣服被我们洗完了。

6. 录音机被（让/叫）格林先生借走了。

7. 那张报纸被看完了。

8. 杯子里的水让（被/叫）他喝了。

三、改被动句为主动句：

1. 我做完了数学题。

2. 他写那篇发言稿写得很好/那篇发言稿他写得很好。

3. 有人请高秘书去做报告了。

4. 不知谁拿去了那几本书。

5. 我们邀请大使先生参加了这次活动。

6. 没有人偷那家商店。

7. 我不能用电脑，因为他们没把电脑修好。

8. 情人节那天人都把花买走了。

9. 有人吃了冰箱里的蛋糕，有人喝了酒。

10. 在欧洲人们热烈欢迎中国京剧团。

四、分析下列句子哪些是被动句，那些不是？

1. 是　　2. 是　　3. 是　　4. 不是

5. 是　　6. 不是　7. 是　　8. 是

十　"把"字句

一、请读下列句子并模仿造句。（略）

二、用"把"字和适当的动词及其他成分填空：

1. 把，收起来　　2. 把，放到　　3. 把，挂在

4. 把，送到　　5. 把，忘在　　6. 把，放

7. 把，寄给　　8. 把，开到　　9. 把，送到

10. 把，吃了

三、用"给"，"在"，"到"，"成"填空：

1. 到　　2. 给　　3. 在　　4. 成　　5. 成
6. 在　　7. 成　　8. 给　　9. 到　　10. 在

四、请把下列句子翻译成中文，翻译时用上"把"：

1. 你可以把你的车停在这儿。
2. 你想把这幅画挂在哪儿？
3. 把窗户打开，请快一点儿。
4. 我把啤酒喝完了。
5. 我把他的地址写在我的笔记本上了。
6. 我把老师教的语法记录下来了。
7. 告诉我，我应该把这封信寄给谁？
8. 你怎么把我的名字忘了？
9. 他们没把这些花种在院子里。
10. 他们不想把这个消息告诉任何人。
11. 如果没把作业做完，你就不能出去。
12. 没人想把这么贵的东西买回来。

五、用所给的词语造"把"字句：（略）

六、改错：

1. 这件事情我已经知道了。/我已经知道了这件事情。
2. 请把书放在桌子上。
3. 我看不懂这本书。
4. 在英国，我没学过这些语法。
5. 她把我看成她的女儿。
4. 快把药吃了。

5. 他们很快地把饭吃了。

6. 我刚来北京，还不认识路。

7. 他没把信写完。

8. 我们先进教室了，老师才来。

七、请把下面的短文翻译成英文：

My friend Tian Li moved out of his house last Sunday, and asked me to help him. I arrived at his home at eight that morning. His house was a mess, things were everywhere. He and his wife were just boxing up all the books and dictionaries so that they would be easier to move onto the truck. My friend Tian Li asked me to help them pack up their clothes. I took the clothes out of the wardrobe and laid them into the suitcase. I also carefully took down the paintings from the wall, wiped the dust off, gently rolled them up, wrapped them well and put them in the truck.

We rode the truck to their new house. It was a very beautiful house with a bedroom, a study and a living room. They placed the large bed and the wardrobe in the bedroom. The books were left on the floor waiting for the new bookcase to be delivered. I suggested that they hang the paintings in the living room and put the TV the same room, but Tian Li's wife insisted that the TV should be in the bedroom as she enjoys watching TV in bed during the evening.

We worked continuously for approximately eight hours moving things, straightening things up and cleaning the rooms. During dinner, we drank beer together and I raised my glass to offer a toast to wish both of them every happiness in their new home.

十一　否定词

一、填空：

1．不　　2．没　　3．别　　4．不　　5．不

二、纠错：

1．他昨天没来开会。

2．小李下周不去出差。

3．经理的事儿太多，没有时间休息。

4．明天晚上你别忘了看电影。

5．别大声说话。／不要大声说话。

6．上周，他没告诉我这个安排。

十二　数　词

一、阅读：（略）

二、改错：

1．一万八千

2．八十万零一

3．十二个鸡蛋　　　九个朋友　　　五个面包

4．北京大约有七、八个县

5．英国的留学生汤姆在中国学习两年多了。

6．这篇文章我有二十多个生词。

7．那条大街有近五十家饭馆儿。

8．出席大会的代表超过了万人。

十三 量 词

一、阅读：（略）

二、填空：

条	本	杯/瓶/盒	个
盘	个	杯	种
个	片	块、（盒）	件
把	张	副	块
种	个		

三、纠错：

三只鱼	四只鸟	五件衬衫	六把椅子
十张照片	一个厨房	两件夹克	五种意见
七条领带	十二瓶药水	三桶汽油	

十四 离合词

一、阅读：（略）

二、造句：

1. 妈妈给孩子洗澡。

2. 你可以帮我一个忙吗？

3. 小李照了三张相。

4. 他为大家操心。

5. 她在大学读了三年书。

三、纠错：

1．下午我想和你说话。

2．张明 1978 年和她结婚。

3．她上午开三个会。

4．我们五个人打一个的（dī）不够。

5．天很黑，你们走路留一点儿神。

6．周末去长城散散心。

7．他和小姐握了握手。

8．我们大家都投你一票。

9．他对这件事很生气。

10．王师傅开了十五年的车。

十五　形容词重叠

一、写出以下形容词的重叠方式：

| 1．快快乐乐 | 2．干干净净 | 3．漂漂亮亮 |

4．冰冷冰冷　　　5．凉快凉快　　　6．热闹热闹

7．亲亲热热　　　8．鲜红鲜红

二、改正句子里的错误：

1．同学们高高兴兴地旅游去了。

2．房间被她打扫得干干净净。

3．骑自行车去很方便。

4．这儿的风景真美丽。

5．轻轻一推，门就开了。

6．请说清楚这句话的意思。

7．她把皮鞋擦得亮亮的。

8．孩子洗完澡，干干净净的。

9．这把椅子，坐着特别舒服。

10.那儿的字写得很大，我们看得很清楚。

三、阅读并翻译下面的短文，在需要的地方将形容词替换成适当的重叠形式。

个子高高的　　　眼睛大大的　　　清清楚楚　　　高高兴兴
穿得干干净净　　漂漂亮亮

My friend is an interpreter at the French Embassy. She is a tall person, with big eyes, and she wears black rimmed glasses. She always speaks slowly so that you can hear her clearly. My friend is very clever and works hard. No matter what kind of difficulties she may be confronted with, she always deals with them happily, without getting angry or upset. That's why her colleagues enjoy working with her.

If you see a beautiful, neatly dressed Chinese girl wearing glasses at the French Embassy, it should be my friend, because there is only one female interpreter at the embassy.

十六　动词重叠

一、用适当的动词重叠填空：

1.慢慢儿等　　2.帮帮　　　3.尝尝　　　4.修修

5.高兴高兴　　6.点点　　　7.擦擦　　　8.听听

9.做做　　　　10.打扫打扫

二、改正句子中的错误：

1.我正在修理电灯，他进来了。

2.他洗过盘子，就去烫衣服了。

3.刚才写的那封信，寄了没有？

4.司机等他等了一个半小时。

5．学习游泳的时候，一定要有耐心。

三、用下面的词造句：（略）

四、阅读下面的短文，在适当的地方，用动词重叠替换动词：

听听音乐　　看看书　　洗洗衣服　　收拾收拾房间

看了看表　　敲了敲他的门　　洗洗澡　　刮刮胡子

准备准备

十七　语气助词的"呢"和"吧"

一、比较下列句子：（略）

二、用带"呢"的短句，完成下列句子：

1．你们呢　　　　　2．你的呢

3．价钱呢　　　　　4．另外呢／而且呢

5．那个学校呢

三、翻译句子：

1．Let us discuss this further.

2．It is too hot. Let's turn the air‑conditioner on.

3．Going this way, we'll be going in the right direction. Let's give it a try.

4．You're not going to the office tomorrow, are you?

5．We haven't used up this month's salary yet, have we?

6．He is in a difficult situation. Let's go help him out.

7．Okay, let's go back.

8．We are not going to buy the house after all, are we?

十八 "能""会"和"可以"

一、回答问题，用上"能、会、可以"中的任何一个。

1. 我能吃一碗。

2. 我会开车。

3. 我会去哪儿?

4. 慢跑可以锻炼身体。

5. 可以。

6. 只能生一个孩子。

7. 可以读报纸了。

8. 不错，我们可以去长城。

二、选择题（选择合适的翻译）

1. A　　2. B　　3. B　　4. A　　5. B

6. B　　7. B　　8. B　　9. B　　10. A

三、填空（用上"能、会、可以"）

1. 能　　2. 能　　3. 会　　4. 会　　5. 可以

6. 可以　7. 会　　8. 会不会　会　能

四、改错练习：

1. 他很会做人。

2. 今天晚上星星很多，一点儿云也没有，明天肯定不会下雨。

3. 他能听懂英语，但不会说英语。

4. 我已经饱了，不能再吃了。

5. 我想学开车，你能教我吗?

6. 他刚来中国，还不会用筷子。

7. 我不太会喝酒。

8. 我会开车，可是在北京不能开，因为我没有驾驶证。

9. 已经十点了，看样子他不会来了。

五、翻译：

1. Lao Liu is a very good shopper.

2. You can't park your car here.

3. This sofa can be used as a bed.

4. Excuse me, is it all right to smoke here?

5. 哪一天能修好？

6. 我（现在）能走了吗？

7. 今天会下雨吗？

8. 你会做中国菜吗？

十九　"一点儿"和"有一点儿"

一、填空：

1. 一点儿　　2. 有点儿　　3. 一点儿　　4. 有点儿

5. 有点儿　　6. 有点儿　　7. 一点儿　　8. 一点儿

9. 有点儿　　10. 一点儿

二、选词填空：

1. 饭　　2. 高兴　　3. 冷　　4. 好　　5. 累

二十　"就"和"才"

一、把下面的句子翻译成英语：

1. They will be getting off work soon.

2. I just got off work.

3. He came to Beijing year before last, but he started to learn Chinese only this year.

4. The show don't start until eight, why did you get here at seven?

5. It took him only two days to finish reading this novel, but it took me a week to read it.

6. He returned to his country right after graduating.

7. He left before daybreak.

8. It would be too much of a waste to throw away this piece of paper since there are only a few words written on it.

9. I can drink five bottles of beer at one meal.

10. There are only ten students in our class.

11. I am the only child in my family.

12. My home is just ahead.

二、选词填空：

1. 就　　2. 才　　3. 才　　4. 就

5. 才　　6. 就　　7. 就　　8. 就

三、改正下列的病句并说明理由：

1. 他一回来，就走了。

2. 我们坐了二十分钟的汽车，九点就到了。

3. 马上就出发，你怎么才来？

4. 已经十二点了，你还没睡？

5. 等大家都睡了，他才睡。

6. 这本书我看了一天才看完，他看了半天就看完了。

二十一 "都"、"全"和"所有的"

一、请读下面的句子并翻译成英文：

1. All the students went skating.

2. They do not all live in diplomatic apartments. There are some that live in hotels.

3. We have already learned all of these grammar points.

4. I did not write any of these characters correctly.

5. It's more convenient for me to drive my own car wherever I go.

6. Everyone likes this little white cat.

7. The sun is up already. It's time for you to get up.

8. He has always lived in the mountains, and has never even seen a train.

9. Their whole family has gone to a banquet.

10. I studied Russian when I was a child, but now I have forgotten it all.

11. What you said is incomplete, I will expand on it.

12. He is able to name all the flowers in the garden.

13. Not everyone thinks this way, only a small minority of people do.

14. Please memorize the entire text since it isn't even 100 words long.

15. He donated all the magazines he subscribed to for the last 30 years to the library.

16. I understand every word you just said.

二、改错句：

1. 昨天你去商店，都买了什么东西？

2. 票都卖完了。

3. 他把钱都借给了朋友。

4. 在我们班，人人都爱打乒乓球。

5. 他离开北京的时候，我们公司的人全去飞机场送他。

他离开北京的时候，我们公司的所有人都去飞机场送他。

6. 你说话太快，我都听不懂。

三、用"都"、"全"、"所有的"填空：

1. 都/全   2. 全   3. 所有的

4. 全   5. 所有的   6. 所有的

四、请用"刚"，"刚才"，"都"，"全"，"所有的"各造一个句子。（略）

五、请读下面的对话，注意"刚"，"刚才"，"都"，"全"，"所有的"的用法。（略）

二十二 "刚"和"刚才"

一、请读下面的句子并翻译成英文：

1. I don't know my way around at all since I am new to Beijing.

2. The wheat in the field just turned yellow and hasn't been harvested yet.

3. He went traveling right after completing his examinations.

4. Chinese children can start school at age six. Since his

younger brother will be just five and half years old in September, he can't start elementary school yet.

5. He just bought the bread, it's still hot.

6. All of my friends have climbed to the top of the mountain while I am only half way up.

7. How can you say that this is a bad novel when you have just read two pages?

8. He was just here, how could he have disappeared?

9. It was barely four o'clock when people got up and went to see the sunrise.

10. I just heard the news.

二、改错句：

1. 我来这个学校刚三天。

2. 你刚才的回答错了，想一想为什么？

3. 我刚学习中文三个月，还不能看报。

4. 我一出办公室，看见我刚才要找的那个人。

5. 他刚才找我，我没在办公室。

三、用"刚"、"刚才"填空：

1. 刚　　2. 刚才　　3. 刚　　4. 刚才　　5. 刚

四、请用"刚"、"刚才"各造一个句子。（略）

二十三　"又"、"再"和"还"

一、完成下面的句子：

1. 今年他还去。　　　　2. 她想再看一遍。

3. 我又不能上了。　　　4. 又要生气了。

5．再来！　　　　　6．<u>再</u>听一遍。

7．我<u>还</u>去。

二、选词填空：

1．又　　2．再　　3．又　还

4．再　　5．还　　6．还　再

三、辨别对错：

1．A√ B×　　2．A× B√　　3．A× B√　　4．A√ B×